D1365426

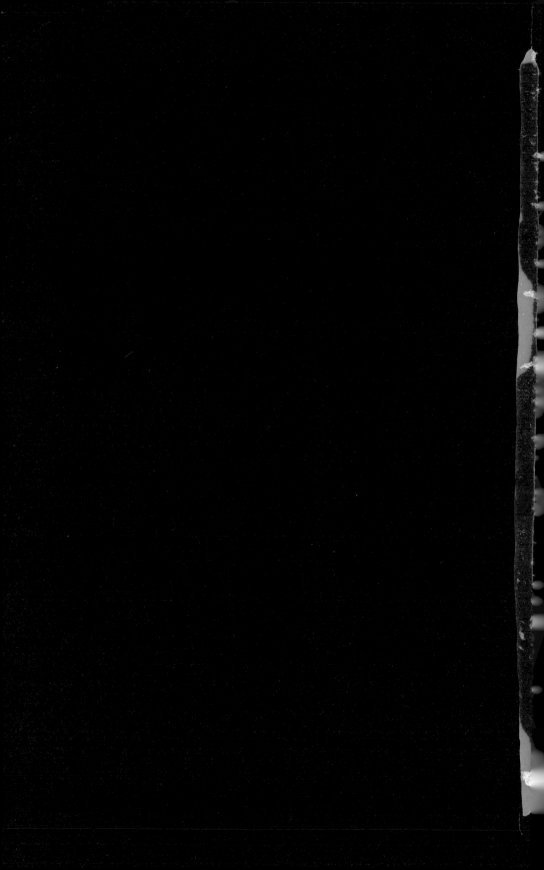

A E
& I

El tiempo mientras tanto

WITHDRAWN from Toronto Public Library

GIROL SPANISH BOOKS
P.O. Box 5473 Stn. F
Ottawa, ON K2C 3M1
T/F 613-233-9044 www.girol.com

Autores Españoles e Iberoamericanos

Carmen Amoraga

El tiempo mientras tanto

Finalista Premio Planeta
2010

No se permite la reproducción total o parcial de este libro, ni su incorporación a un sistema informático, ni su transmisión en cualquier forma o por cualquier medio, sea éste electrónico, mecánico, por fotocopia, por grabación u otros métodos, sin el permiso previo y por escrito del editor. La infracción de los derechos mencionados puede ser constitutiva de delito contra la propiedad intelectual (Art. 270 y siguientes del Código Penal)
Diríjase a CEDRO (Centro Español de Derechos Reprográficos) si necesita fotocopiar o escanear algún fragmento de esta obra. Puede contactar con CEDRO a través de la web www.conlicencia.com o por teléfono en el 91 702 19 70 / 93 272 04 47.

© Carmen Amoraga, 2010

© Editorial Planeta, S. A., 2010
Diagonal, 662-664, 08034 Barcelona (España)

Primera edición: noviembre de 2010
Segunda impresión: diciembre de 2010

Depósito Legal: M. 50.017-2010

ISBN 978-84-08-09726-6

Composición: Foinsa-Edifilm, S. L.

Impresión y encuadernación: Rotapapel, S. L.

El papel utilizado para la impresión de este libro es cien por cien libre de cloro y está calificado como **papel ecológico**

A mis abuelos, por su recuerdo.
A mis padres, por su orgullo.
A Carlos, por no perder la ilusión.
Y a Carmen, por supuesto.

(ésta es la raíz de la raíz y el brote del brote
y el cielo del cielo de un árbol llamado vida; que crece
más alto de lo que el alma puede esperar o la mente ocultar)
y es la maravilla que mantiene a las estrellas separadas
llevo tu corazón (lo llevo en mi corazón)

E. E. CUMMINGS, *Llevo tu corazón conmigo*

Soñamos juntos
juntos despertamos
el tiempo hace o deshace
mientras tanto.

MARIO BENEDETTI, «Intimidad»
(*Contra los puentes levadizos*)

María José era una gran mujer que no tuvo suerte en la vida. A los dos meses no había otra cosa que le gustase más que la teta de su madre pero tuvo una bronconeumonía que la condenó al biberón (ardía de fiebre y a su madre se le cortó la leche del disgusto). A los cuatro años le detectaron reuma en la sangre (no era grave, pero un practicante tan antipático que ni siquiera le hacía la broma de voy a usar una aguja invisible le tenía que poner inyecciones dolorosísimas una vez por semana). A los seis empezó a sufrir ataques de acetona (nada del otro mundo, pero se convertía en la niña de *El exorcista* cuando empezaba a vomitar). A los once años pareció encontrar estabilidad en su molesta salud, pero a cambio le cogió gusto a comer y empezó a engordar. A los trece, coincidió en el ascensor con un vecino al que había visto al menos ciento cincuenta mil veces porque estudiaba séptimo en el mismo colegio en el que ella iba a octavo, y porque vivían en el mismo edificio (es decir, toda la vida) y que siempre le había dado lo mismo, hasta ese día. El niño le preguntó a qué piso vas, como si no lo supiera, y ella, muerta de vergüenza, le contestó al quinto. Era mentira.

Abril

La mujer que va a morir y no lo sabe, o quizá sí, tiene los ojos cerrados, el cuerpo rígido, las manos abiertas, los dedos extendidos. Las enfermeras le hablan, le dicen, venga, bonita, que vamos a cambiarte las sábanas; o huyyyy, pero qué buen aspecto tienes hoy, o guapa, alegra esa cara; o preciosa, levántame un poco el culete que te voy a hidratar; o pero qué pelos me llevas; o mira, voy a abrirte la cortina para que te dé el sol y te pongas morena; o no te asustes, cariño, que te voy a menear un poquito para que no te salgan llagas; o vamos, sonríe un poco, que hoy ha venido tu amiga Marga a verte. Pero la mujer que va a morir no mueve ni un músculo. No parece triste ni tampoco alegre. Su amiga Marga le da lo mismo porque le queda poco tiempo. Quizá no se dé cuenta. O quizá sí. Quizá note que cada día es como una despedida, que cada noche se convierte en una batalla ganada. O perdida. Tal vez tenga ganas de terminar. Quién sabe. Alguna vez, antes, cuando la vida ya era una resta, cuando ya estaba perdiendo la pelea contra la muerte pero no se daba cuenta, había hablado de cómo

9

sería, palmarla, decían, palmarla y no morir, como para quitarle gravedad al hecho de dejar la vida. Si estaba con otras personas siempre recurría a lo mismo, lo típico, que estamos de paso, que no tiene tanta importancia, que todos nacemos y todos morimos, que esto no es más que una cuenta atrás, que la vida no es más que un rato, cuatro días al fin y al cabo, que lo importante no era cuánto, sino cómo.

Pero si estaba sola, si se lo preguntaba estando sola, al instante se arrepentía de haberse formulado la pregunta, porque en realidad no le importaba qué era estar muerta, sino la certeza de la respuesta: lo poco que queda después, lo pequeño que es el hueco que dejamos, y esa marca, tan leve, tan efímera. Ella sabía que recordamos poco tiempo a los que se van. Lo único eterno son los genes. Lo oyó en la radio, y pensó que era verdad, que nuestro recuerdo no nos sobrevive tanto como nos gustaría y que lo indeleble de nuestra huella pasa desapercibido.

¿Cuánto de lo que era ella se lo debía a los que fueron antes?

Cuando le llegó la hora a su abuelo Julio, su padre lloró en el cementerio como lloran los críos, sin vergüenza, haciendo ruido, sorbiéndose los mocos, apartándose las lágrimas de la cara. Ay, papá, ay, perdóname todo lo que te he hecho. Ella se le acercó por detrás y le colocó una mano en el hombro. Notó su llanto, justo ahí, en la palma, y el contacto le dolió. Los sollozos de él la hacían vibrar con ritmo triste, ay, mi padre, María José, ay, ay, ay, se detuvo para mirarla, tragó saliva, y luego continuó ay, que se me ha ido mi padre, y ella no sintió pena, sino pudor, como si estuviese invadiendo un territorio privado, porque nunca había estado tan cerca de alguien que sufriese tanto. Tranquilo, papá, el abuelo ya ha dejado de sufrir.

Lo dijo porque lo sentía, ya está, ya ha descansado; lo que se calló fue que el abuelo Julio estaba más solo que la una porque llevaba años viviendo en una residencia de ancianos en Gandía, que le habían llevado a ésa en lugar de buscar otra más cerca porque les salía más barata con lo del bono residencia, y que desde hacía tiempo lo único que quería era o que lo sacaran de allí o morirse de una vez. Sus hijos, tres chicas y un varón, iban poco a visitarle. No es que no le quisieran, porque lo querían, pero no encontraban tiempo para ir a verle. El trabajo, las obligaciones, tú lo sabes, papá, tú has sido un hombre ocupado toda la vida. Venimos cuando podemos, y el abuelo Julio los miraba con una indiferencia fingida que en realidad era desprecio, y murmuraba hijos de puta, para esto me he deslomado, para esto me he privado yo de todo lo que me he privado, para esto he pasado la vida avergonzado por mis errores, arrepentido por haberos dejado sin nada, hijos de la grandísima puta, que eso es lo que sois, sacadme de aquí o dejad que me muera para que no os vea más, hijos de puta, hijos de puta, hijos de puta, una y otra vez, en voz muy baja, tan baja que había que estar muy atento para darse cuenta de que ni rezaba ni farfullaba locuras de viejo, sino que los insultaba sin perder ese aspecto apacible que no se le fue de la cara ni siquiera en el ataúd, cuando le quitaron la dentadura postiza y le metieron en un sudario blanco, una decisión de última hora para resolver el problema de sus pies. Mejor dicho, de sus zapatos: los había extraviado en la residencia. No es plan enterrarlo en zapatillas con suela de goma, con lo que él ha sido, que siempre iba hecho un figurín, dijo alguien. No, no es plan, convino el resto.

Ellos, los hijos, habían establecido turnos para ir a visitarle un par de horas los sábados o los domingos. A veces los acompañaban los nietos y empujaban una silla de ruedas hasta la playa, y tomaban un refresco frente al mar. Qué bien lo hemos pasado, ¿eh, abuelo? Julio respondía con su letanía inaudible (hijos de puta y demás), porque para él, que pasaba las horas mirando por la ventana esperando que llegase el momento de desayunar, de comer, de cenar, de acostarse, de desayunar, de comer, de cenar, de acostarse, un día tras otro, y que aguardaba esa sucesión de acontecimientos al lado de Trini (una anciana que conservaba el pelo negro y toda su dentadura pero había perdido la memoria y no se sentaba nunca porque estaba convencida de que iban a ir a por ella y no quería malgastar tiempo en levantarse de la silla), o de Roberto (que se pasaba el día llorando desde que se le murió su mujer en la cama de al lado y los hijos se empeñaban en decirle que estaba muy mala en el hospital), o de Vicente (que planeaba fugas continuamente como si, en lugar de en un asilo de lujo, estuviera en una prisión), esas horas que sus hijos le entregaban como se entrega un regalo le daban por el culo más que cualquier otra cosa.

Así que ella lo dijo de verdad, el abuelo ya ha descansado, ya está, papá, pero su padre se dio la vuelta y la miró con la misma tristeza con la que lo miraba todo, porque su padre era un hombre de naturaleza triste, con esa misma mirada, pero elevada al cubo, y le dijo sí, pero ¿y ahora qué?, ¿ahora quién se va a acordar de él?, ¿quién va a saber que le gustaba comer sardinas de bota pisadas en la puerta, que le daban pánico los dentistas, que no había llorado hasta que cumplió los setenta y cuatro años, que guardaba la gabardina gris que le llegaba hasta las rodillas que se compró con el primer dinero que pudo ahorrar?, ¿quién va a saberlo?, ¿quién?, dime quién, dime cuánto tiempo vamos a tardar en olvidarlo. Eso dijo, y hubiera dicho mucho más, pero la voz se le volvió de plomo en la garganta y no tuvo más remedio que callarse.

Cuando pensaba en la muerte estando sola, María José se acordaba del abuelo Julio, porque él había muerto mucho tiempo antes de morirse de verdad. Se murió cuando empezó a marchitarse, a perder las ganas de vivir, a dejar de ser el hombre que había sido, ese que se comía el mundo a bocados, ese que tuvo la idea de abrir La Belle, una perfumería en la calle de la Paz, en pleno centro, y el acierto de hacer correr la voz de que los productos que vendía venían de París para que todas las clientas se volviesen locas comprando exactamente lo mismo que en cualquier otra tienda, pero que se llevaban de ésa porque estaban convencidas de que era mejor porque llegaba de Francia; ese que amasó una pequeña fortuna, que se gastó todo lo que tenía en partidas clandestinas de bacarrá y en putas justo cuando su hijo varón, que se creía que el dinero manaba del cielo y que por lo tanto era tan inagotable como la lluvia que caía de él, estaba a punto de casarse con Pilar; ese que, después de todo, miraba a los demás fingiendo un orgullo que estaba lejos de sentir, y decía ¿y qué?, el dinero es mío y me lo gasto en lo que me sale de los cojones; ese que no se achantó cuando su mujer dejó de hablarle y que les plantó cara a sus hijas, que no tenían otra aspiración más que ser herederas toda la vida. ¿Y ahora qué hacemos? Pues trabajar, coño, ¿qué vais a hacer?

Ya no era su abuelo, qué va, no era el mismo que al día siguiente de descubrirse su pufo convenció a un vecino para que le prestase veinte duros, a otro para que le dejase doscientas pesetas, a varios para que le diesen cincuenta, y con lo que juntó compró en un almacén una partida de bragas y las vendió a voces por las calles de los pueblos de los alrededores de Valencia, y así volvió a empezar. Ese abuelo Julio, ese que se partía de la risa cuando decía estos presumidos nunca me han perdonado que me volviese gitano, ya se había ido hacía mucho, y cuando lo ingresaron en esa residencia no le quedó más remedio que olvidarse de él. Fue duro, pero así fue. Se le hacía un mundo coger el coche, ir a verle, sostenerle de la mano, ¿qué tal, abuelo?, pues aquí, ya me ves, ¿qué tal todo?, bien, ¿cómo está tu marido?, bien, ¿comes bien?, sí, huy, qué tarde es, vale, adiós. Así que ella prefería recordarle tal como había sido, antes, cuando de verdad estaba vivo.

El día que su madre la llamó para decirle que su abuelo había muerto, no le lloró. Hacía años que se había despedido de él. Y, sin embargo, después, no era extraño que pensara en él en presente, como si todavía estuviera sentado en el salón de la residencia. El abuelo Julio querrá ver esta corrida de toros en la tele, al abuelo Julio le encantará este bastón, cómo se parece este hombre al abuelo Julio. Quería decírselo a su padre, yo le recuerdo, yo le mantengo vivo, yo pienso en él, pero le daba miedo que se pusiera a llorar otra vez. Mejor dicho, le daba vergüenza.

¿Cómo será estar muerto? Cuando se hacía la pregunta se mostraba indiferente para espantar su temor. Se encogía de hombros. Pues ¿cómo va a ser? Como dormir, como emborracharse hasta perder el sentido, como antes de nacer: nada. Después, alejaba ese pensamiento. Bastante duro era mantenerse vivo.

A la mujer que pasa las tardes de tres a nueve sentada frente a la que va a morir y no lo sabe, o quizá sí, se le hace muy duro no sólo vivir, sino fingir que sigue viviendo como si no pasara nada. Por eso, para disimular, intentó usar el mismo tono de las enfermeras al hablar con la enfermera. Cuando la llevaron a ese hospital, le dijeron que tenía que hablarle continuamente, y tocarla, y hacerle caricias para que ella sintiera que no estaba sola. No está demostrado, pero ustedes háblenle por si acaso. A Paco le sale mejor, seguramente porque está acostumbrado a hablar sin que nadie le haga caso, pero a ella le cuesta trabajo dirigirse a ese cuerpo mudo, quieto, ciego y quién sabe si sordo, como si le fuera a contestar. Y eso que se lo cree. Semanas antes de que María José tuviera el accidente, leyó en un periódico que un italiano que había pasado dos años en coma profundo despertó diciendo mamá y asegurando que lo había oído todo en ese tiempo, y alguien le ha contado en el hospital el caso de un estudiante que recuperó la conciencia cuando le pusieron un vídeo que habían grabado todos sus compañeros de clase gritando su nombre (Caaaaaaaarlooooooos, despieeeeeerta). Háblenle, les dice todo el mundo.

Y ella lo intenta, pero como no es capaz de hacerlo

con naturalidad ha alquilado varias veces en el videoclub de debajo de casa *Hable con ella*. Piensa tanto en la película desde que está allí que a menudo tiene la sensación de que al mirar a la cama se va a encontrar a Rosario Flores, pero no. No tiene nada que ver. La protagonista es torera y está en coma por una cogida y, aunque es difícil, no es imposible que algún día se despierte. María José, no. María José trabaja en una gestoría y es un tráfico, que es como llaman en el hospital a las víctimas de los accidentes de coche. Eso es lo que tuvo su hija, pero no lo que la matará. El golpe le dejó lesiones cerebrales, pero lo que se la llevará será una infección, o un encharcamiento de los pulmones, o todo a la vez, dentro de un mes o dentro de un año, o dentro de diez. Quién sabe. Le da lo mismo. No tiene prisa.

María José se morirá despacito, sin darse cuenta. No es tan mala manera. Es como vivir hacia atrás, como descumplir años, como volver al útero de su madre. A su útero. Ustedes háblenle, por si acaso. Y ella, que no se siente capacitada para contradecir a los médicos porque para eso se han pasado la vida estudiando, le habla. Por si acaso.

Y, al principio, quiso copiar la alegría de las enfermeras. ¿Cómo ha pasado la mañana mi niña?, o ¿ha venido alguien a verte, corazón?, o ¿qué tal se ha portado Cleopatra?, ¿te has entretenido con ella, María José?, o bueno, si pareces una abuela con ese camisón, voy a ponerte otro para que estés bien guapa, o mmmm, pero qué hambre tengo, ahora mismo me comía un arrocito al horno, ¿te acuerdas de que era tu plato favorito cuando eras pequeña, cariño mío? El día que le dijo eso, le miró la sonda que le cruzaba el cuerpo desde la nariz hasta el estómago. Por ahí le metían la comida y la medicación.

Le pareció de tan mal gusto mencionar el arroz al horno que por poco se hizo sangre en el labio al mordérselo, arrepentida de sus palabras, y la expresión, cariño mío, se le cayó de la boca. Casi se echó a llorar. Perdóname, hija, perdóname, te lo pido por favor. Ésa fue la última vez que trató de ser como las enfermeras.

Nunca la ha llamado así, cariño mío, en toda su vida. O sí, sí lo ha hecho, pero hace ya tanto tiempo que le parece que quien lo decía entonces era otra persona. Pero se lo decía. Cuando era un bebé, eso seguro. Ahora también es como un bebé. La enternece pensarlo, pero no puede decírselo. Cariño mío. Eso no. A veces abre los ojos cuando se enciende una luz en la oscuridad, o estira las manos si oye un ruido fuerte. Son los reflejos, como en los recién nacidos, les explicaron los médicos. Habíamos pensado que estaba mejor. No. Háganse a la idea de que cualquier cambio será a peor. Son duros, pero ella lo agradece. No soportaría hacerse ilusiones para nada.

María José siempre fue perezosa, se le pegaban las sábanas todas las mañanas para ir al colegio. Ojalá pudiera pasarme la vida dormida, protestaba. Y ahora que tiene lo que deseaba, ahora que no se va a despertar, ella no se atreve a llamarla como la llamaba entonces (cariño mío). Nació tan chiquita que daba miedo tocarla. Paco tardó casi un mes en abrazar a su hija, pero ella se la comía a besos, cariño mío, ¿quién te quiere a ti?, ¿quién te quiere? La niña la miraba, pero no la veía a no ser que le pusiera la cara bien cerca, así que se la arrimaba, piel con piel, le hablaba al oído, tu mamá, tu mamá te quiere, tu mamá te quiere tanto que daría la vida por ti, tu mamá te quiere tanto que mataría al que te hiciera daño, cariño mío, hija de mi alma, tu mamá te va a querer igual cuando te salgan los dientes, cuando camines, cuando crezcas, cuando seas una mujer, cuando tengas hijos, ahí estará tu mamá, queriéndote como ahora que eres como un cacahuete, toda cabeza y culo, que no puedes sostener el cuello, así como te quiero ahora, igual que ahora, te prometo que te voy a querer toda la vida. Y no había faltado a su promesa, nunca. Bueno, sí había faltado, porque la había querido cada día un poco más, un poco más, hasta que tanto amor se había vuelto insoportable y echó el freno, pero ni aun así había dejado de quererla, ni tampoco cuando, hacia los doce años, una niña protestona y enfadada con la vida que se comía todo lo que caía en sus manos se zampó también a la María José de antes, la niña risueña y flaquita.

A veces le daban ganas de zarandearla, eh, tú, so gorda, devuélveme a mi hija y deja de quejarte por todo de una vez, pero luego se avergonzaba de esos pensamientos. Se preguntaba si sería natural tenerlos, si no era propio de una mala madre, si no se habría convertido en un monstruo que odiaba a su hija, si las otras también pensarían cosas de ese estilo y, para tranquilizar su conciencia, se decía que seguramente sí, que ella era como todas, que no era una mala madre ni su hija una mala hija.

Eran sólo cosas de la edad. La adolescencia, que era muy puta, especialmente puta con María José, que había sido una cría de anuncio, con esos ojos negros inmensos que parecían mirarlo todo con una seriedad que no se correspondía con su edad, con ese pelo rizado, con esa sonrisa zalamera que le salía cuando quería algo, mami,

mami, ¿sabes que eres preciosísima? ¿Sabes que te quiero? ¿No me comprarías una bolsa de Peta Zetas? Y ella, claro, se la compraba. Y gusanitos, y dulces, y le daba bocadillos de sobrasada y queso, y cocinaba potajes, y lentejas, y todo lo que la niña de sus ojos quisiera si se lo pedía con esos dos hoyuelos en las mejillas. Así fue como María José empezó a crecer más a lo ancho que a lo largo. Así fue como a su hija empezó a agriársele el carácter, porque en la escuela le gastaban bromas, le cantaban la Ramona es la más gorda de las mozas de mi pueeeeblo, Ramooooona, te quieeero. Así se le revienta el carácter a cualquiera. Ella quiso cumplir lo que le había prometido cuando nació (mataré a quien te haga daño) sin que la sangre llegara al río. Fue al colegio. Habló con la directora, que se llamaba doña Marina y que siempre vestía un traje de chaqueta azul.

—Mire, Marina.

—Doña Marina, si no te importa.

—Bueno, mire, doña Marina, es que los niños insultan a mi hija y la niña llega a casa llorando todos los días.

—¿Y qué le dicen?

—Gorda.

—Es que, si me lo permites, Pilar, un poquito gordita tu hija sí está.

A Pilar se le llenaron los ojos de lágrimas. Quiso decirle que también ella se merecía un doña delante del nombre, que su hija no estaba gordita, sino gorda, pero que eso no tenía que ser motivo de insulto. Quiso preguntarle si a ella le gustaría que los demás se rieran del siete que llevaba zurcido en la falda o de la calva que se le intuía por debajo del pelo cardado como si fuera un casco romano. Quiso exigirle que protegiera a su hija, que era lo que más quería en el mundo. Quiso amenazarla: o me la cuida o aquí va a pasar una desgracia, pero tuvo miedo de echarse a llorar si abría la boca, así que la mantuvo cerrada un buen rato, al cabo del cual la miró a los ojos y le preguntó:

—¿Usted tiene hijos, doña Marina?

—¿Y qué tiene eso que ver?

—Mucho, doña Marina, porque si usted tiene hijos puede imaginarse lo que sufre una madre en esta situación.

Doña Marina no le contestó. No tenía hijos. No tenía marido. No tenía nada más que ese trabajo, que, por lo demás, no le gustaba. No tenía más que tres trajes iguales que ése porque, cuando salía de allí, se pasaba el día en bata. No se lo contó, pero esa tarde quiso poner firmes a todos los compañeros de María José López Zamorano. No dio nombres. No hizo falta. Dijo: desde este momento, a quien se le ocurra meterse con los enanos, los bizcos o los gordos tendrá que enfrentarse con el castigo que corresponda. El castigo que corresponda, el que doña Marina infligía nada más que cuando era menester para mantener a raya a esos pequeños delincuentes, era sencillo: se colocaba al niño infractor en pie delante de la pizarra, a una distancia de más o menos medio metro, y se le golpeaba varias veces la cabeza contra el encerado, lo suficientemente flojo para no dejar marcas pero lo suficientemente fuerte para causar mareo en el castigado y terror entre el público.

Doña Marina pensó que con ese ultimátum el asunto quedaba zanjado. María José cerró los ojos y se cagó en su madre, porque en clase no había ni bizcos ni enanos ni más gordos que ella misma, así que estaba claro por quién lo decía. Ese día, además de cantarle la canción, empezaron a pegarle. Cuando Pilar le vio las señales de los golpes en las piernas, le preguntó ¿cómo te has hecho eso?, como si no lo supiera, y no le dijo nada de su visita al colegio. No hacía falta. María José le contestó me he caído en el patio, y tampoco le dirigió más que una mirada fulminante, te odio, mamá, te odio como no te puedes imaginar. Las dos se encerraron en su habitación, a llorar, a maldecir, una a la hija de la gran puta de doña Marina, que le amargaba la vida, la otra a la hija de la gran puta de su madre, que le amargaba la vida. Esa tarde, además, las dos empezaron a recorrer una distancia imaginaria que las separara. Han ido lejos, desde entonces. Sólo han parado por puro impedimento físico, el día en que un coche se interpuso en el camino de María José.

¿Cómo te encuentras? ¿Cómo has dormido? Te he traído un cedé de Luis Miguel, a mí me parece un poco hortera, ¿qué quieres que te diga?, pero a ti sé que te gusta. Lo voy a poner ahora que la de al lado se ha ido a rehabilitación. Si le dice eso no se siente mal, pero sabe que si añade en voz alta lo otro (cariño mío) sería como si la insultase. Y, sin embargo, quiere decírselo. Quiere decirle eres mi hija, María José, mi hija querida. No te mueras hoy. Déjame que te mire, y que te toque, y que te hable aunque no sepa bien qué decirte. Cariño mío. Cariño mío. Pero no se lo dice. Lo piensa nada más.

También piensa en la muerte. Mucho. De hecho, lleva días sin otra cosa en la cabeza. ¿Cómo será? De cuando en cuando, mira hacia la cama y la ve inmóvil, ajena al drama. Parece tranquila. No lo está. La mira y a veces no siente nada, pero otras le duele el corazón. Tiene la expresión relajada, más que cuando no se iba a morir, porque cuando no se iba a morir siempre estaba tensa, enfadada, como ella misma. Pilar no se había dado cuenta de esa semejanza, pero un día, en medio de una pelea en la que madre e hija se gritaban sin parar quién sabe por qué motivo, María José detuvo su griterío y dijo por nada del mundo quiero parecerme a ti y dio la discusión por zanjada.

Le dan ganas de acariciarla, pero no lo hace porque la paraliza un pudor absurdo, casi infantil. El flequillo negro le tapa la frente. Los médicos le han pedido que se lo corte, por comodidad. Ella prefiere la coleta y las horquillas porque el pelo corto siempre le sentó como una patada en la boca del estómago. Es por si se despierta, se justifica, para que no se vea fea. No se va a despertar, señora, acéptelo. Pero no es capaz. Lo más que puede hacer es pensar en la muerte, ir familiarizándose con la idea de que algún día ese cuerpo dejará de sufrir. Morir es como descansar, se dice. Sin saberlo, madre e hija han pronunciado las mismas palabras. Morir no tiene tanta importancia. Todos nacemos, todos morimos, llegamos, nos vamos, nadie se queda, y cuando nos marchamos nos llevamos con nosotros nuestra huella. ¿De verdad? ¿Será así cuando muera María José?

Desde que llegaron a ese hospital ha visto morir a varias personas. No es nada raro: allí la mayoría va a eso, y unos pocos, a hacer rehabilitación después de haber tenido un accidente de circulación en el sentido más amplio de la palabra (de circulación sanguínea y de circulación vial), o a tratarse una tuberculosis o un sida después de haber estado en un hospital de agudos, que es al que vamos todos cuando nos pasa algo puntual. Pilar antes no sabía la diferencia. Ahora ya la sabe. Éste de crónicos, el Sánchez Díaz-Canel. Está en la sierra, cerca de un monasterio de cartujos que sólo abre las puertas una vez al año y cada vez que un visitante se equivoca de camino, lo que suele ocurrir prácticamente a diario. ¿Es esto el hospital? No, esto es el monasterio; el hospital está en la otra dirección, verá la indicación en el cruce. Circule con cuidado, no vaya a atropellar a un conejo. Gracias. Ella se confundió la primera vez que fue a visitar a María José, y también estuvo a punto de llevarse a un conejo por delante. Perdóneme, padre. No soy padre, soy hermano. Es que en el pueblo me han dicho que era aquí, hermano. Pues ya ve que no. Lo siento mucho. Vaya con Dios, y cuidado con los conejos. La desorientación es normal. Antes, el hospital y la cartuja se llamaban igual, como la sierra en la que se encuentran, la de las Águilas, pero cuando lo reformaron le dieron el nombre del médico que lo fundó a finales del siglo XIX para tratar a una docena de enfermos de tuberculosis, la mitad de los cuales se habían contagiado en la guerra contra Cuba.

Es un edificio grande, con dos pabellones que son como dos brazos que se abren majestuosos entre la frondosidad de la montaña. Tiene cinco alturas. La primera la ocupan los pacientes con lesiones cerebrales. Ahí está María José. En la segunda están los infecciosos y el gimnasio. La tercera es para los que necesitan cuidados paliativos, es decir, para los que es seguro que no saldrán vivos de allí. La mayoría son ancianos enfermos de cáncer que esperan la muerte en soledad, mirando cómo el viento mece los árboles a través de la ventana. Los que reciben visita o los que pueden pagar a alguien para que los acompañe pueden salir al patio en sillas de ruedas. Casi todos llevan una bata atada al revés encima del pijama, aunque haga calor. La cercanía de la muerte debe de dar frío, o eso piensa ella. Bajan en el ascensor hasta el sótano. Si coincide con ellos evita mirarlos a los ojos y se pregunta si se darán cuenta de que el día que mueran también saldrán por ahí, por el sótano, que es donde está el depósito de cadáveres. Los observa a hurtadillas, y se responde que no, que no son conscientes. Llevan la ilusión en la mirada: vamos a la calle, vamos a respirar ahora que podemos, hoy que estamos vivos todavía. Piensa en su madre. Qué pensaría ella cuando se estaba muriendo. Entonces ni se lo planteó.

La cuarta planta, que albergó el hospital original con las habitaciones de los contagiados en Cuba y de las monjitas que los cuidaban, está cerrada. En la quinta está la capilla y las oficinas. Hay una más, una buhardilla en la que dicen que el cura del hospital se ha construido un *loft* de ciento cuarenta metros cuadrados y una terraza casi del mismo tamaño con vistas a la sierra de las Águilas.

Ella lo sabe de memoria porque cuando se cansa de leer el *¡Hola!*, el *Diez Minutos*, el *Mía*, el *Telva*, el *Pronto*, el *Nuevo Vale*, el *Interviú*, *El País* o *El Mundo*, se entretiene curioseando el plan de evacuación del hospital en caso de incendio. Usted está aquí. Como si no lo supiera. Mira a su hija. Deja caer los brazos alrededor del cuerpo, cansada. Suspira y se lo señala con el dedo. Estamos aquí, María José. También coge el folleto del hospital, donde están los horarios de los autobuses y donde explica que la política del centro es que los pacientes y los acompañantes estén lo más cómodos posible, que las habitaciones son amplias, luminosas y funcionales, que disponen de cama para los cuidadores, de televisión gratis y de un cuarto de baño completo y adaptado.

Lo del *loft* del cura no lo pone ahí; eso lo sabe por las enfermeras, que cuchichean en el pasillo y piensan que desde las habitaciones no se oye nada. Ellas se alegran de que pueda ver «Amar en tiempos revueltos» en una pantalla plana, pero se quejan de que por el gasto en los televisores quizá haya menos plantilla.

En el gimnasio enseñan a caminar, a mover piernas, a echarse en la cama, a levantarse de la cama, a vestirse, a quitarse la ropa o los zapatos, a usar el ordenador, a vivir con la nueva realidad. María José nunca irá por allí. No le hará falta. Lo que hacen en el gimnasio se lo han contado las compañeras de habitación. Ha tenido cuatro, y eso que acaba de llegar. Las dos primeras sufrieron un ictus que les paralizó el brazo y la pierna, una perdió la vista y la otra el habla. Las dos se marcharon al poco tiempo. La cuarta está en rehabilitación.

La tercera se murió. Se llamaba Sonia y tenía dieci-siete años. Era un tráfico, como María José. Casi a la hora de la comida, se fue en moto a casa de una prima que vivía dos calles más allá de la suya y no se puso el cas-co. Echa el arroz, le dijo a su madre. ¿Seguro? Mira que en veinte minutos está y luego se pasa la paella. Échalo, échalo, que yo vuelvo enseguida. Sonia la oyó refunfu-ñar mientras arrancaba la moto, y ahora ella no puede soportar la idea de que la última conversación que tuvo con su hija fuera justamente ésa. De haberlo sabido, ¿qué le habría dicho?, ¿que la quería?, ¿que la lloraría mientras viviera?, ¿que tenerla era lo mejor que le había pasado en la vida?, ¿qué? Todo eso Sonia ya lo sabía. ¿Qué podría haberle dicho? Tal vez ve a donde quieras, no tengas prisa, disfruta el paseo, o nada. Quizá una son-risa. Sin embargo, torció el gesto, puso cara de enfado, renegó, y eso fue lo último que su hija vio de ella. Cuan-do le preguntó a Pilar cuál había sido la última conversa-ción que había tenido con María José, no pudo evitar mentirle. La verdad era triste por partida doble (no lo recordaba y, en caso de recordarlo, seguro que tenía que ver con reproches o con enfados), así que le dijo que la noche anterior al accidente la llamó para pregun-tarle qué tal le había ido el día, y antes de colgar se de-searon buenas noches. La mentira le dolió a Pilar tanto como la verdad a la madre de Sonia.

Llevaba ingresada ocho meses, pero a la 126 la ha-bían trasladado hacía dos días porque la enferma con la que compartía habitación había cogido una infección. Sonia tenía los brazos y las manos encogidas porque se le habían atrofiado los músculos. De cuando en cuando, con una ráfaga de luz, abría mucho unos ojos azules que en otro tiempo debieron de estar llenos de vida pero que ahora estaban empañados. Su madre no se separaba de ella en ningún momento. Comía allí, dormía allí, se duchaba allí. Ocho meses sin salir del Sánchez Díaz-Canel. Ya no lloraba, pero no se había resignado. Cuando murió Sonia, recogió sus cosas con lentitud, como si no quisiera marcharse. Era esclava de su cuerpo, ahora está libre. Pilar no dio crédito a lo que había dicho cuando se oyó decirlo y se arrepintió al instante. Temió que la otra le soltase una estupidez semejante a la suya, pero la madre de Sonia la comprendió. Sí. Lo sé. Ya no era Sonia. Sólo era un cuerpo. Pero era su cuerpo. Y se echó a llorar. Los otros hijos y el padre de Sonia llegaron pronto, pero para entonces ya se había calmado. La encontraron serena, sentada al lado de Pilar, con la mano entre las suyas. Suerte, le dijo al marcharse. Pilar también entendió lo que quería decirle. Suerte.

Ahora, la cama 126 B la ocupa una mujer de cincuenta y nueve años, Rosa, profesora de física médica en la facultad de medicina. Estaba dando una clase cuando se desplomó delante de sus alumnos. Se marchará pronto, afortunadamente, porque sus visitas son insoportables. Tiene una hija monja de clausura que reza en el convento para que el mundo sea un lugar mejor y que no ha podido ir a ver a su madre porque el rezo no se puede detener. Pilar piensa que si ése es el trabajo de las monjas de clausura hay alguien que no está haciéndolo bien, porque el mundo no es más que una tremenda mierda. Rosa también tiene un hijo cura que trata de confortarla cada vez que va a hacerle compañía a su madre.

—¿Es usted creyente, doña Pilar?

—Lo justo.

—¿Reza?

—No mucho.

—Rece, rece, que Dios la ayudará.

—Ya ve lo que me ha ayudado hasta ahora.

—Podría haber sido peor, doña Pilar.

—¿Qué puede haber peor que esto?

—Muchas cosas, créame.

—Ya.

—¿No va a rezar?

—Me parece que no.

—Bueno, nosotros rezaremos por usted.

—Recen por su madre, que falta le hace a la pobre.

—Podemos rezar por las dos.

—Hagan lo que quieran.

—Me gustaría ayudarla.

—¿Puede curar a mi hija?

— Eso no, claro.

—¿Y su jefe?

— Dios hará algo mejor por ella: le dará la vida eterna.

— Pero en esta..., ¿no podría repetir lo de Lázaro?

—No haga bromas con eso.

—Lo siento, no quería ofenderle.

—No me ofende, pero si fuera creyente se conformaría porque se daría cuenta de que hay otra vida después de ésta que es mucho mejor. Y eso no sólo lo dice Dios: la diferencia entre la vida y la muerte es más difusa de lo que uno cree.

—¿Y quién lo dijo?

—Un premio Nobel, Heinrich Rohrer.

Ella sabe que eso no es verdad, porque vivir o estar muerto, en esa habitación, es exactamente lo mismo.

Cada día es igual en el Sánchez Díaz-Canel. Si no fuera porque cambian el menú a diario, todos parecerían el mismo.

Los miércoles dan paella para comer. A María José la alimentan por una sonda nasogástrica. A Pilar le gusta la paella, pero detesta los miércoles porque es el día de la semana que va Marga a ver a María José. Son amigas desde que nacieron, prácticamente. Han ido juntas al colegio y al instituto, y para disgusto de Pilar, que nunca soportó a Marga, han seguido viéndose a diario, aunque Marga estudió (periodismo) y a María José le dio pereza presentarse al selectivo porque no sabía qué carrera le gustaría hacer y se puso a trabajar (en una asesoría).

Pilar trató de quitarle la idea de la cabeza.

—Piénsalo bien, María José. Tanto esfuerzo para esto, hija mía...

—Pues sí, ya me he esforzado bastante, ahora quiero tener tiempo libre y algo de dinero y poder disfrutar todo lo que no he disfrutado.

Marga también trató de convencer a María José.

—Estudia, tía, que luego acabarás de cajera en un supermercado.

—Mejor cajera que sicóloga en paro.

—¿Y por qué vas a ser sicóloga en paro? Yo pienso hartarme de trabajar en cuanto termine la carrera, y voy a ganar una pasta y a la que me descuide me darán el Ortega y Gasset.

María José se rió.

—¿Sí? Pues te deseo suerte, porque das una patada y te salen miles de licenciados que acaban trabajando de cualquier cosa menos de lo que han estudiado.

—Qué pesimista eres, tía.

—Pesimista no, realista.

—Bueno, pues estudia de todas formas, y ya tendrás tiempo para acabar de cajera, tía.

—Que no, que ya estoy cansada de tanto empollar.

Marga insistió: estudia, estudia, estudia, y añadía un tía al final de cada frase. Con eso se quedaba Pilar, con el tía (qué ordinaria, qué poco vocabulario, menuda periodista nos va a dar el parte), en lugar de con el sentido común que intentaba inculcarle a su hija. No la aguanta. ¿Por qué? No sabría decirlo. Por nada, seguramente. No hay ningún motivo más que uno tan mezquino que no ha querido confesarse nunca: que le robaba el cariño de María José. Ya está. Ya lo ha dicho. Incluso ahora. Por eso los miércoles le molesta tanto verla entrar con esa sonrisa en la cara. Es por eso, se dice. Aquí estamos todos pasándolo fatal y llega ella con la sonrisita puesta. A ver si se cree que porque deje de trabajar una tarde ya se gana el cielo. Tal vez piense que la va a curar por imposición de manos y por eso no deja de tocarla. Pero lo que en realidad le da rabia es que le da dos fríos besos en la mejilla, ¿qué tal, Pilar?, como si ella no necesitase consuelo, y se acerca la silla hasta la cama de María José. La coge de la mano y no la suelta en las cuatro horas que se pasa en la habitación, hasta que viene Cleopatra a hacer el turno de noche y las dos se marchan a casa. Muchas veces, se queda un poco más que Pilar.

—Vete tú, yo me iré dentro de un rato.

Pilar protesta.

—Pero si ya son las nueve. Vete con tus hijos, no te preocupes, que María José se queda bien atendida con Cleopatra.

Marga ignora a Pilar y sonríe a María José con ternura infinita.

—Los miércoles Carlos se encarga de los niños y a mí todavía me quedan tantas cosas que contarte...

Lo dice y, hala, otra vez a sonreír. Pilar tiene ganas de pedirle que no vuelva, que no sonría más, quiere mentirle, decirle que los médicos le han dicho que es malo que reciba tantas visitas, pero no se atreve. Ése es el problema de Pilar, que no se atreve a hacer casi nada de lo bueno ni de lo malo que se le pasa por la cabeza, y se le queda dentro, reconcomiéndola. Así ha sido, toda la vida. Ése es su cáncer, el que la matará.

Está convencida de que, para mortificarla, Marga no se levanta ni para mear. Pone la mano izquierda debajo de la de María José y la acaricia sin parar. Le toca los brazos, la cara, el pelo, sin dejar de hablarle, de contarle cosas del supermercado (tanto estudiar no le sirvió de mucho y al final fue ella la que acabó siendo cajera), como si a su hija le fuera a importar que la carnicera esté embarazada y busquen sustituta, o que ayer, ésta es muy buena, María José, el reponedor tropezó en un escalón y se pegó un costalazo que no te lo imaginas, o que esté pensando ir de vacaciones a Cabezón de la Sal, o que

Fernando ha sacado un siete en matemáticas, o que Antonio pincha en inglés, o que Carlos quiere tener uno más. Uno más, ¿lo has oído bien?, menudo morro, si él tuviera que parirlos seguro que se lo pensaría.

Tiene dos hijos y un gato. Menos mal. A Pilar los hijos de Marga se la traen floja, pero de no ser por el gato le habría arrebatado hasta lo que más quería su hija: el perro. A Pilar los perros también se la traen floja. Bueno, los perros y los animales en general (el ser humano incluido), pero por nada del mundo habría consentido que esa lagarta se llevase a *Jim. Jim* es un perro que parece un dálmata pero que en realidad no es de raza que María José se encontró una mañana en la playa.

Era el Día de los Inocentes, se había peleado con Joaquín, cogió el coche y sin darse cuenta se plantó en El Perelló. Condujo hacia allí sin ser consciente, seguramente porque el verano anterior alquilaron un adosado en El Pouet, y no habían sido del todo infelices. Volvió negra como un tizón, un poco más flaca y algo más segura de su relación. Lo pasaron bien. Se tiraban la mañana en la playa, la tarde en el pueblo, la noche en la cama. Una vez hicieron el amor en el patio de atrás, mientras oían a los vecinos jugar al Pictionary, o regañar a los niños para que se fueran a la cama, o fregar los platos de la cena. Eso no se lo contó nunca María José. Lo único que le dijo de aquel verano fue que, ya casi en septiembre, vieron a la infanta Elena en la horchatería del pueblo, tomándose un helado como si nada mientras todas las esquinas estaban llenas de tíos cachas que debían de ser los guardaespaldas y a su alrededor se arremolinaba la gente para hacerle fotos con el móvil. Todo lo demás lo supo por Marga, unas cosas mientras reñía con ella por llevarse al perro y otras, después.

—¿Cómo te lo vas a llevar tú, si tienes un gato?

—¿Y tú qué? ¿Cómo te lo vas a llevar tú, si odias a los perros?

—Pero el perro puede matarte al gato.

—Pero el perro es muy esclavo, lo tendrás que sacar a pasear todos los días, y bastante tienes con lo tuyo.

—Pues anda que tú, con los niños, con tu marido, con el súper, que no haces más que quejarte del trabajo que te dan.

—Pues lo mismo que tú, que te quejas de todo.

—Ya.

—Ya.

Y vuelta a la carga.

—Es que a mí me gustaría quedármelo.

—Pues mira que lo siento, Marga, porque me lo llevo yo y punto.

El mismo día que lo metió en casa se arrepintió de haber mantenido ese duelo con Marga, como si se disputaran el amor de María José en vez de un perro que lo primero que hizo al entrar fue mearse en la pata de la mesa y lo segundo buscar una cama debajo de la que esconderse. Mientras le perseguía por toda la casa Pilar le levantó el brazo para arrearle un guantazo, y el perro la miró con una mirada que por un momento le pareció humana, y ella bajó la mano hasta su hocico y, en lugar de pegarle, le acarició. Pobrecito, le dijo. Esa misma mirada fue la que le puso a María José cuando se lo encontró.

—Yo pensaba que lo había comprado, como es un dálmata.

Marga la sacó del error.

—Qué va a ser dálmata, es un chucho guapo, pero chucho al fin y al cabo.

Y entonces fue cuando le contó lo de la enésima pelea con Joaquín (él había tenido la cena de empresa de Navidad y no había llegado hasta el día siguiente, todavía borracho como una cuba), lo de la huida a la playa (buscando alguna huella de la felicidad), lo de que se sentó en la arena fría para llorar sin que nadie la viera (a María José le daba vergüenza llorar en público y ver llorar a los demás), y por fin lo de que se le acercó un cachorro moviendo el rabo y le lamió la cara y luego la mano y se quedó a su lado hasta que se levantó y la siguió al coche y la miró sentarse y encender el motor y lo de que, cuando le puso esa mirada, la humana, María José se bajó y lo metió en el asiento del acompañante y el perro no dejó de chupetearle las piernas en todo el trayecto, y entonces María José se echó a llorar con desespero (hacía tiempo que nadie le hacía una caricia).

—¿Así que se separaron por eso? ¿Porque Joaquín salía mucho y no le hacía caso? ¿Porque no era cariñoso con ella?

—No, sólo por eso, no.

—¿Por qué, entonces? María José siempre estuvo enamorada de él, desde que era una cría. Algo debió de pasarles.

—No siempre tiene que pasar algo, Pilar.

—Eso es lo que tú te crees.

—...

—¿Qué les pasó, Marga?

Marga la miró y miró a su amiga, y luego volvió a mi-

35

rar a la madre de su amiga y le dijo que no, que no les había pasado nada en realidad. Pilar insistió en sus preguntas, que si hubo otra mujer, otro hombre, que si hubo juego, putas u otros vicios, mentiras, trampas, deudas, deslealtades, y la otra insistió en su mutismo, que no, Pilar, que no hubo nada. Pilar, a lo suyo: algo tuvo que haber. Marga al final perdió la paciencia y le contestó de mala manera: algo hubo, pero si no te lo dijo tu hija, no te lo voy a decir yo.

El resto de la tarde transcurrió en silencio. Bueno, eso es un decir. Pilar se mantuvo callada y Marga siguió con la perpetua conversación con la mano de María José entre las suyas. Tocaron sospechas. Sospechaba de los hijos (creía que Fernando había empezado a masturbarse porque había encontrado manchas en las sábanas y se sentía vieja de repente), del marido (había una compañera de trabajo de la que hablaba sin parar y ella estaba empezando a preguntarse si esconderría algo detrás de tanta cháchara), de la asistenta (le había desaparecido un billete de cincuenta euros que tenía en el cajón de la entrada y no podía pensar que nadie de la casa se lo hubiera llevado), y de su jefe (temía que la empresa iba a reducir personal y veía en peligro su trabajo).

Después de cada confesión, se daba un instante de tregua (y se lo daba al resto de las personas que estaban en la habitación), se callaba y miraba a María José, como si esperase respuesta, y a continuación se respondía ella misma sobre los hijos (era normal que el crío tuviera curiosidad, todos lo hemos hecho), sobre el marido (tal vez sólo estaba impresionado), sobre la asistenta (seguramente ella misma había cogido el billete para pagar una faja que se compró de la teletienda que, por cierto, era una maravilla porque le reducía dos tallas, le levantaba el culo y no se marcaba en la ropa), y sobre su jefe (era obvio que no iban a quedarse con media plantilla). Pilar pasaba las hojas de las revistas con evidente mal humor. Resoplaba, farfullaba y se revolvía en el asiento, y de vez en cuando se levantaba y se acercaba a la cama para tocar la frente de su hija, o para tomarle el pulso justamente en la mano que Marga le tenía cogida, o para acariciarle ella también el brazo, como reivindicando la propiedad de María José.

Se hicieron las nueve. Llegó Cleopatra. Cleopatra es una cubana de treinta y un años que aparenta cuarenta y que pasa las noches en el hospital con María José. Habla poco, siempre huele a canela, tuvo un padre obsesionado por el mundo egipcio que bautizó a sus hijos con nombres de faraones (Ramsés, Amenhotep, Akenatón, Nefertiti, Amenofis y ella misma, Cleopatra Pérez Rangel), y siempre parece a punto de echarse a llorar. Llegó Cleopatra, pues, y las dos recogieron sus cosas y se despidieron de María José; Pilar, con un roce de sus labios en la frente y un hasta mañana, hija, y Marga con un abrazo y una lluvia de besos sonoros en la cara. Bajaron juntas al aparcamiento, sin hablarse. Pilar, que se las daba de educada, le dijo un buenas noches que más que una despedida parecía un insulto (buenas noches, pedazo de guarra). Marga, que los miércoles por la noche no tenía capacidad para más sentimiento que el de la pena inmensa por la amiga que dejaba en el hospital, se volvió hacia ella, dio su brazo a torcer y le dijo: María José se separó porque la vida no había resultado ser como ella se había imaginado.

¿Y qué vida resulta ser como la que uno se imagina? Pilar, ese miércoles, no pudo dormir. La pregunta le martilleaba las sienes como un dolor de cabeza. ¿Quién tiene la vida que se había imaginado? Daba vueltas en la cama, inquieta, molesta, puede que triste, y se rozaba con el cuerpo de Paco como si el cuerpo de Paco, rechoncho, calvo y con pelos en la espalda, fuera la respuesta. No la mía, desde luego.

Paco roncaba, muy suavemente, muy poco, muy de vez en cuando, pero ella era inflexible y le daba codazos cada dos por tres, aunque no fuera preciso, y sin mucho aprecio le empujaba para que se girase hacia el otro lado. En la mesilla, había un *spray* repugnante que le obligaba a ponerse todas las noches cinco minutos antes de acostarse para que dejase de roncar. Él protestaba, porque el líquido sabía peor que olía, y porque las quejas de su mujer le hacían sospechar que no era todo lo efectivo que prometía la publicidad. Pues, si no me quita el ronquido, ¿para qué me lo sigo tomando? Te lo tomas y punto. Y Paco, que odiaba discutir y su matrimonio era la prueba evidente, seguía poniéndoselo noche tras noche sin imaginarse que, en realidad, para Pilar sólo era una excusa para mortificarle. Que se fastidie, pensaba. Peor me saben a mí todos los días a su lado. La culpa tampoco era de Paco. Es más, aquella noche, después de la confesión de Marga (la vida no había sido lo que ella esperaba), empezó a pensar en él de otra manera. No con ternura, porque eso habría sido demasiado pedir después de los casi cuarenta años que llevaban juntos, pero sí con algo de compasión, algo, no mucho, un poco nada más, lo suficiente para que se preguntara qué tal andarían sus cuentas con la vida. ¿Habría sido lo que imaginó que sería, cuando era joven, cuando se paseaba con ese MG rojo con asientos de piel negra que le compró su padre porque salió con vida después de una peritonitis aguda (si no te mueres, te compro el coche que quieras)? Seguramente, no. La vida de Paco estaba llena de promesas cuando la conoció (dinero, éxito, mujeres), y no se le había cumplido ninguna. Ella también le había hecho unas cuantas (prometo quererte, cuidarte, respetarte, serte fiel). El antirronquidos era la prueba de dónde habían ido a parar todas aquellas buenas intenciones.

Alguna vez se sentía mala persona. Se preguntaba qué motivo tenía ella para incordiar así a su marido, por qué le hacía comidas que no le gustaban, o le negaba el sexo cada vez que él le sugería hacer el amor hasta que consiguió que dejara de proponérselo, o estaba todos los días con cara avinagrada y de mal humor, o le hablaba con mal tono fuera cual fuese el pie que Paco le diera. Se preguntaba si no le valdría la pena separarse de él, empezar de nuevo. Qué va, qué va. La idea se le iba de la cabeza en un santiamén. Qué va. ¿Adónde voy yo sola, con treinta y ocho años? Entonces, al pensarlo por primera vez, le parecieron muchos, treinta y ocho, pero cuando a los treinta y ocho se le fueron sumando otros (cuarenta, cuarenta y seis, cincuenta, cincuenta y cuatro, sesenta y dos), lo que le pareció una idea absurda fue haberlos dejado pasar. No. No es verdad. La verdad es que no hizo falta que llegaran los sesenta y dos. De su error tomó conciencia la tarde que se le cumplió un sueño por segunda y última vez en su vida: encontrarse con Fermín.

Llevaba fantaseando con esa idea desde que él se marchó a Mallorca para buscar fortuna en el mundo de la hostelería, es decir, veinticuatro años con la misma matraca (Dios mío, por favor, por favor te lo pido, que al torcer a la derecha me dé de bruces con Fermín), sin que al ir a la derecha (o a la izquierda) estuviera el amor de su vida. Por costumbre, por pereza, tal vez por amor, mantuvo intacta esa letanía incluso cuando Fermín le dejó claro que él tampoco iba a cumplir ninguna de las promesas que le había hecho antes de marcharse (ganaré dinero, volveré, me casaré contigo, te querré toda la vida), y siguió después de la tarde que entró en La Belle a comprar algunos encargos de sus clientas, y en lugar de una dependienta le atendió un muchacho alto, moreno, de ojos oscuros y labios carnosos que no tenía absolutamente nada que ver con Fermín, sin duda mucho más bajo y mucho más rubio y mucho más feo, y que le despachó impasible mientras, a su lado, otro dependiente más mayor no hacía más que incomodarla con un torpe flirteo (¿vienes mucho por aquí?, estos potingues no serán para ti, porque tu belleza es natural, ¿qué haces después?, ¿no te gusta este chico tan bien plantado?). Pilar estuvo a punto de marcharse sin su compra hasta que supo que no eran empleados de La Belle, sino sus propietarios.

A partir de ese instante, Pilar, que ya entonces odiaba a los hombres aunque no lo sabía, se dejó querer por el dueño con caídas de ojos y sonrisas que parecían tímidas, y aceptó su oferta de que su hijo Paco la llevase a casa con el pretexto de que una señorita no debía cargar con tanto peso. En el coche, Paco le pidió perdón por el comportamiento de su padre, avergonzado. Le contó que había estado enfermo, que su padre había creído que se quedaba sin hijo y que por eso ahora trataba de encontrarle novia, para que recuperara el tiempo perdido. Dijo eso, se puso rojo como un tomate y ya no volvió a abrir la boca hasta que se despidió de ella, después de haberle dejado las cajas en el portal.

Al día siguiente, Pilar volvió a la tienda con la excusa de que había olvidado comprar un perfume para su madre, y como no encontró a Paco fue regresando a La Belle cada dos por tres, con el propósito de volver a verle.

¿Qué pretendía Pilar? Ahora ya no lo recuerda. Bueno, no es que no lo recuerde, es que no lo quiere recordar. Pero lo que quería era volver a ser feliz, volver a ilusionarse, que la quisieran, querer, olvidarse de que Fermín le había partido el corazón. Volveré, me casaré contigo, te querré toda la vida. No. Su vida no había resultado ser como ella había imaginado.

¿Y la de Paco? En la mesilla hay una foto de él con su hija en brazos. La abraza tanto, tan fuerte, que parece que se vaya a fundir con la pequeña. Paco lleva una camisa blanca y unos pantalones oscuros. Está guapo. No dejó de serlo, guapo, hasta hace unos años, cuando la amargura también dejó huella en su cara. Con el brazo izquierdo sujeta el culo de María José, y con el derecho la coge por la espalda. Ella tiene la carita pegada a la de su padre. Miran a la cámara, detrás de la cual debía de estar ella retratándolos. Sonríen. Le sonríen a ella.

¿Y la de Paco? Pilar se hizo muchas veces esa pregunta esa noche. La de Paco, tampoco, a menos que él hubiera imaginado una vida al lado de una mujer que no le amaba, que todas las noches soñaba dormida y despierta también con el hombre que la abandonó, que cada vez que iba a cambiar de calle rezaba en silencio, por favor te lo pido, Dios mío, que me encuentre con Fermín al volver esta esquina, hasta que la vida decidió tratarla mejor y se lo encontró.

Desde ese miércoles, Pilar intenta tratar mejor a Marga. No es que de pronto le caiga bien, o que se haya dado cuenta de que se ha pasado la vida siendo injusta con ella (como con casi todo el mundo). Es que quiere que le cuente más cosas sobre María José. Lo decidió mientras depilaba a una clienta que iba a su gabinete una vez al mes y siempre se hacía lo mismo (enteras, axilas, cejas y bigote), y no dejaba de parlotear mientras los pelos se le iban detrás de la banda de cera. Pilar ponía la misma cara a todas las clientas, ésa de pero qué cosas más interesantes me cuentas, y de vez en cuando decía claro, o sí, o no me digas, o vaya, hombre, pero tenía la cabeza en otro lado. Así urdió el plan de hacerse amiga de Marga, en su salón.

El salón de belleza de Pilar se llamaba así, «DePilar». Ella estaba orgullosísima de ese alarde de imaginación. Se le ocurrió a María José. Hasta entonces no había tenido ningún nombre. La gente decía voy a casa de Pilar desde que era soltera y vivía con sus padres y peinaba también a domicilio por cuatro perras. Cuando emigraron a Francia y se instalaron en un pueblecito (Panazol) tampoco se llamaba de ninguna manera. Seguía siendo lo de Pilar, donde Pilar, a casa de Pilar, porque sólo trabajaba con otras españolas, inmigrantes como ella. Cuando regresaron a España y dejó la peluquería por la estética, siguió con lo mismo (donde Pilar, a casa de Pilar). Hasta que María José se casó y le sugirió que hiciese una reforma en el piso y que utilizase su habitación como gabinete y el antiguo gabinete como sala de espera. Se dio de alta como autónoma (hasta entonces todo había sido en negro) porque de repente le apeteció ser empresaria, encargó un letrero que colgó en el balcón con el nombre que se inventó su hija e insertó publicidad en algunos periódicos. No llegaron clientas nuevas, pero aun así mantuvo la ilusión de que había dado un giro copernicano a su vida. Ahora se arrepiente. No por el dinero que invirtió, ni por la desilusión que sobrevino después, sino por haber desmontado el cuarto de la niña. Le gustaría tenerlo como estaba cuando se marchó, con esa cama de noventa que se le quedaba tan estrecha y ese escritorio juvenil que María José había querido conservar intacto, con pegatinas de cantantes sobre los restos de otras de dibujos animados, y estrofas de poemas y estribillos de canciones mezclados y escritos a boli en latín (*ubicumque eris tecum ero*), en valenciano (*no hi havia a València dos amants com nosaltres*), en castellano (después de todo qué complicado es el amor breve y en cambio qué sencillo el largo amor) y en francés (*et la mer efface sur le sable les pas des amants désunis*), aun después de dejar atrás a la adolescente que las escribió.

Nunca se había fijado. Lo ha leído después del accidente, porque María José se llevó el mueble cuando se casó, y también lo trasladó cuando se separó y lo colocó en una habitación que hacía las veces de cuarto de la plancha y de despacho donde guardaba los papeles de Hacienda, las facturas, los documentos médicos, todo ordenado dentro de carpetas transparentes que estaban dentro de archivadores de cartón con un rótulo en el lomo para saber lo que había dentro (piso, renta, divorcio, otras cosas, etcétera). Es por deformación profesional, como en la asesoría, decía María José.

Pilar tiene las llaves del piso, aunque nunca antes se había atrevido a usarlas. Desde el accidente, sin embargo, va de vez en cuando para comprobar que todo sigue en orden, para regar alguna planta, para retirar el correo y la publicidad del buzón. La mayoría de los papeles que llegan acaban en la bolsa de la basura. María José recibe poca cosa, sólo anuncios de tiendas de muebles, de pizzas a domicilio o de fontaneros que atienden urgencias. Guarda las cartas del banco (cada vez envían menos porque su hija, por desgracia, ya no usa la tarjeta) después de abrirlas para cerciorarse de que no hay ninguna notificación de embargo, por ejemplo. Eso se dice, pero en realidad las abre para saber qué hacía María José cuando estaba viva, en qué tiendas compraba ropa o zapatos, cuánto gastaba en el supermercado.

A ella no le contaba gran cosa. Nunca le fue con un problema, ni con una alegría. Quizá su boda. Sí. Su boda sí se la anunció contenta, casi emocionada. Mamá, papá, que me caso con Joaquín. Pasaba de largo de los treinta, y tenía los ojos llenos de lágrimas. Paco se levantó del sofá y le dio un abrazo. Ella se quedó sentada porque le temblaban las piernas. Su María José, casada. Y con un hombre, además. Ese detalle era importante, porque durante mucho tiempo llegó a pensar que su hija era lesbiana porque nunca hablaba de chicos ni parecía salir con ninguno. No habría pasado nada, ojo, que a ella le daba lo mismo, con tal de que la niña fuera feliz. Lo que le preocupaba, lo que le dolía, era que no se lo contase. Pero de repente había un Joaquín. Y no un Joaquín cualquiera, sino uno que había sido vecino toda la vida. Paco la abrazó fuerte, muy fuerte, y le dijo enhorabuena, hija, enhorabuena, y ella hundió la cara en el pecho de su padre, y él añadió ¿lo ves, hija?, al final no ha tenido más remedio que darse cuenta, y ella le contestó, con una sonrisa, sí pero han pasado más de veinte años, y Paco le acarició el pelo y le dijo pero ahora ya está, ya no tienes que esperar más. Eso la fulminó. Paco lo sabía, y ella no. Paco, que estaba todo el tiempo como ausente, no sólo sabía que su hija no era lesbiana, sino que también estaba enterado de que había pasado media vida enamorada de un chaval que vivía tres pisos más arriba del suyo. Habría dicho algo, pero se calló porque le dio vergüenza pensar que ella había estado la mayor parte de esos años preparándose para el momento en que su hija se decidiese a presentarle a su novia.

Ahora ya sabe casi todas esas cosas que entonces no sabía. Sabe que María José se enamoró de Joaquín a los trece años, que sabía que ese amor era imposible porque Joaquín era el chico más guapo (el-chi-co-más-guapo) del mundo, que le escribía poesías (pido, ruego y necesito un susurro, una mirada...), que se conformaba con ser su amiga, que renunciaba al amor de otros hombres, que estaba dispuesta a vivir siempre en casa de sus padres (aunque su madre era insoportable), al menos hasta que Joaquín se marchase de casa de los suyos, que se aficionó al fútbol porque Joaquín era delantero en el Don Bosco y así tenía algo de que hablar con él cuando coincidían en el ascensor, que adelgazaría (lo juro) porque le había oído decir que le gustaban las chicas delgadas, que barajó la idea del suicidio cuando le vio besándose con una chica pero que la descartó porque volvió a uno de los planteamientos iniciales (conformarse con ser su amiga), y porque la muerte le daba miedo y porque aún tenía muchos años por delante para conseguir que él se enamorase de ella.

Todo eso lo sabe Pilar porque una tarde encontró los diarios de su hija en uno de los cajones del escritorio y los leyó de cabo a rabo, con el estómago encogido, en parte porque sentía que estaba haciendo algo deshonesto y en parte porque las páginas en las que Joaquín no era el protagonista estaban dedicadas a ella, que era una histérica, una egoísta, una malpensada, una cotilla y, sobre todas las cosas, una amargada que no era capaz de ser feliz ni de hacer felices a los que estaban a su lado, o sea, a ella y a su padre, que era un tío cojonudo que si tuviera lo que tenía que tener se habría separado de su mujer hacía ya mil años por lo menos.

Esa tarde, Pilar se enfadó y luego se entristeció, y luego se enfadó otra vez y por último se puso a llorar. Se preguntó si esa niña de dieciséis años que se creía que sabía mucho de la vida no tendría algo de razón cuando escribía lo que escribía (no lo referente a Joaquín, sino lo que tenía que ver con ella), si no debería haber sido más tolerante y no haberle montado todas aquellas broncas que estaban en el diario, broncas absurdas, todas, todas por tonterías que no tenían la importancia que Pilar les dio, ahora es consciente. Qué más daba si María José no fregaba los platos nada más cenar, qué más daba si no le entraba en la cabeza que el gazpacho se llamaba gazpacho y no sopa fría, qué más daba si María José no se levantaba en cuanto sonaba el despertador, qué más daba si María José llegaba cinco minutos tarde sin avisar, qué más daba si quería un ordenador en su cuarto, si llamaba por teléfono a Marga en cuanto entraba en casa aunque acabara de estar la tarde entera con ella, si no le daba un beso cuando llegaba y otro cuando se marchaba, si era de izquierdas, si no le gustaban las acelgas, qué más daba todo. Pero así había sido, cada día una pelea, una riña, un enfado. Ahora era cuando lo veía claro, qué absurdo, ahora que ya no tenía remedio, ahora que todo era como una mala película de las que ponen en la tele los sábados por la tarde después de comer. Con el diario en la mano, lloró. Un poco. Pilar no sabe llorar de otra manera. Es su carácter. O es el carácter que se ha fabricado a lo largo de los años, sesenta y dos. Su madre también era así, reservada, sobria, estricta. ¿Se quejó alguna vez su madre? No. Su lema era: si nadie conoce tus sentimientos, no podrán hacerte daño. Ella nunca los conoció, sus sentimientos, ni cuando vivían en Orán, ni cuando sorprendió a su marido con otra, ni en el *Virgen de África*, que los llevó a Cartagena, lleno de mujeres y hombres que lloraban de miedo y de angustia porque lo habían perdido todo. En todo, ahí estaba su madre, agarrándole muy fuerte la mano, con la mirada hueca, como si no le importara. Eso había mamado ella, ese silencio, esa contención.

¿Es justo echarle la culpa ahora a su madre, como hacía María José en su diario? Tal vez no, pero es así. Pilar creció con esa frase como dogma de fe (que nadie conozca tus sentimientos), y la vida le había demostrado cuánta razón tenía su madre, porque sólo se los había enseñado a una persona en toda su magnitud (Fermín) y todavía lo estaba lamentando. Y a María José, al principio, también se los mostró, le enseñó su alegría, su felicidad, su amor. La distancia entre las dos también la consideró una evidencia de la razón que tenía su madre en guardárselos bien adentro. Así los tenía ella, encerrados y sólo se permitía llorar de vez en cuando, unas pocas lágrimas, casi siempre viendo una película, una mala noticia en televisión.

Cuando la llamaron para decirle su hija ha tenido un accidente, está ingresada en el Hospital General, y ella dijo ¿es grave?, y le contestaron ahora no podemos darle esa información, señora, es mejor que venga, no lloró. Fue a su gabinete de estética y se sentó en la silla donde las clientas dejaban plegada la ropa que no colgaban en el gancho que estaba tras la puerta, con dos pensamientos dándole vueltas en la cabeza a la velocidad de la luz (se ha muerto y no me lo quieren decir, no, no se ha muerto porque, si estuviera muerta, no tendría que ir al hospital, se ha muerto, no, no se ha muerto, se ha muerto, no, sí...), pero no lloró. No es que no tuviera ganas, es que tenía miedo a derramarse, a no poder parar, a desbordarse como un río, a perder la capacidad de reacción. Tenía tanto miedo que llamó a Paco para no enfrentarse sola a la situación. Él sí lloró. Lloró en el teléfono, lloró en el taxi (no se atrevió a conducir), lloró cuando el médico les explicó la situación (su hija está en coma, no sabemos si se recuperará). Pilar le envidió sus lágrimas aunque, fiel a sus principios, no se lo demostró.

El desprecio, sí. Le dijo deja de llorar, sé un hombre, éste no es el momento de llorar, y Paco, entre sollozos y palabras ininteligibles, le dijo pues si no es éste, ¿cuál va a ser?, y ella le respondió, lo más secamente que supo, ahora no, ahora tenemos que tirar para adelante, María José es fuerte y no se va a morir de ésta. No le consoló, y habría querido hacerlo, sólo que no supo cómo.

María José escribió varios diarios desde los doce hasta los diecisiete años. Su vida quedó detenida en una noche de noviembre en la que anotó: hoy en el instituto he tenido examen de química. Marga ha cortado con Enrique; mejor, así podré volver a salir con ella. Sé que suena egoísta y seguramente lo es, pero Marga es mi mejor amiga y Enrique es un gilipollas, así que me alegro por ella y por mí. Marga me ha dicho muchas veces que por qué no salgo con alguno de los amigos de los tíos con los que ella sale. No sé por qué me lo pregunta, si sabe de sobra la respuesta y todavía. Así terminan cinco años de citas regulares con su diario: y todavía. Fin del diario.

Pilar se pregunta qué pudo pasar esa noche. Probablemente, una llamada de Marga, o una película que empezaba, o ella, que le pedía que apagase la luz de una vez, quién sabe. Puede que nada, o puede que le diera pereza volver a escribir lo que había escrito tantas veces (y todavía no he perdido la esperanza de conseguir a Joaquín). A Pilar le da rabia no saberlo, haber tenido tan cerca a su hija y al mismo tiempo tan lejos. Se pregunta qué estaría haciendo ella mientras María José dejaba a medias esa página, y también las noches que decidió no escribir más. Ese pensamiento también le da ganas de llorar porque le hace evidente que, cuando su hija se muera, hará ya mucho tiempo que ella la había perdido.

Así que decide recuperarla, y uno de los miércoles

que Marga va a ver a María José le propone que vayan juntas al piso la mañana que ella quiera. Puedo llevar a *Jim*, así le ves y compruebas que le trato bien. Pilar sonríe mientras dice esas palabras y la sonrisa le dulcifica la mirada. A Marga la oferta y la sonrisa la cogen por sorpresa y dice que sí, que el viernes podrían quedar después de que ella lleve a los niños al colegio. Quedan. Nada más entrar, Marga se echa a llorar. Perdona, Pilar, siento mucho ponerme así, ya sé que para ti debe de ser infinitamente peor que para mí. Pilar le pone la mano en el hombro y le dice que no pasa nada, que ella también lloró cuando entró en la casa, al sacar del lavavajillas la taza del desayuno y el plato y los cubiertos de la cena de la noche anterior y lavarlos para que no cogieran olor, porque pensó en esos gestos cotidianos, cenar, desayunar, meter los cacharros en la máquina, cerrar la puerta, que su hija había hecho sin saber que sería la última vez en mucho tiempo. En mucho tiempo, repite Marga, y parece que vaya a echarse a llorar otra vez. Pilar guarda silencio.

Marga deja el bolso encima del sofá. Es blanco, el sofá. El bolso de Marga, de colores, está a punto de caerse varias veces mientras ella juguetea con *Jim*. El perro le lame las manos y la cara, la llena de babas y después se va, de cuarto en cuarto, olisqueándolo todo. Acaba pronto, porque la casa es pequeña. María José alquiló el piso cuando se separó. Tiene dos habitaciones, una de matrimonio y otra más pequeña que quiso usar como despacho y que acabó bautizando como la habitación de Diógenes, porque a ella iban a parar todos los trastos que acumuló en los pocos meses que vivió allí, amontonados pero ordenados; la cocina es estrecha y alargada, el salón es amplio, pero el baño no tiene luz natural. Los muebles iban con la casa; son pocos y funcionales, seguramente de esas tiendas suecas en las que te lo tienes que montar todo tú mismo y que a Pilar la horrorizan porque no tiene ni idea de bricolaje y porque ni siquiera sabe pronunciar bien su nombre. Ikei, dice. María José se reía al oírla.

En la cocina, el perro se acerca a la esquina en la que María José le dejaba los cuencos con el agua y la comida, y en la galería pega la nariz al suelo más todavía, buscando seguramente su manta. Pilar la tiró y le compró una nueva que está en su casa y en la que el perro no ha querido dormir ni una sola noche. Prefiere echarse en el piso, aunque alguna vez, cuando ella se levanta para ir al baño lo sorprende bajándose del sofá. Se lo cuenta a Marga y ella se ríe. Los ojos se le vuelven a llenar de lágrimas.

—María José era una gran mujer que no tuvo suerte en la vida —lo dice así, de repente.

Pilar quiere decirle ya lo sé, pero no puede, porque no lo sabe. Se sienta en el sofá. Más que sentarse, se deja caer como un fardo. Se tapa la cara con las dos manos. Es lo único que se le ocurre hacer para parecer una digna hija de su madre, para que nadie conozca sus sentimientos, para que Marga no la vea llorar.

María José era una gran mujer que no tuvo suerte en la vida. Le había pasado siempre, desde pequeña (la bronconeumonía y demás), pero el remate de tanta mala fortuna le sobrevino la primera vez que subió en el ascensor con su vecino y el niño le preguntó a qué piso vas, como si no lo supiera, y ella, muerta de vergüenza, le contestó al quinto y era mentira.

María José vivía en el primero, pero le fatigaba subir la escalera. Su madre se lo tenía prohibido, subir en el ascensor. Así haces ejercicio, le decía, y añadía con sorna que falta te hace, hija mía, pero María José no le hacía caso. Algún día vas a tener un disgusto, le anunciaba. Ella lo advertía pensando en una avería, y no al tipo de disgusto que se llevó María José cuando el vecino la miró de aquella manera, con esa extraña mezcla de lástima y burla, como si comprendiera que no subía por la escalera porque pesaba demasiado y no pudiera evitar que esa extravagancia de su vecina la gorda le hiciera gracia. María José, cabizbaja, hizo ademán de salir de allí; apoyó la mano en la puerta, para abrirla, pero el chico la detuvo quién sabe por qué. No te vayas, no te vayas, no pasa nada porque subas al quinto, le dijo. María José se colocó en un rincón, lo más lejos que pudo de él, teniendo en cuenta que en el ascensor cabían cuatro personas más o menos flacas, y mantuvo la boca cerrada hasta que llegaron a su destino. Adiós, le dijo él. Ella trató de sonreírle, pero le salió una mueca absurda. Al cerrarse la puerta, supuso que él había apretado el botón del cuarto, que era el suyo, y lo imaginó riéndose de ella ahora que se había quedado solo. Por imaginarle, lo imaginó contándoselo a sus amigos, jajaja, no os figuráis la última de la foca del primero, y, derrotada, empezó a bajar a pie los cuatro pisos que la separaban de su casa, de su dormitorio, de su refugio, de su teléfono para llamar a Marga y defenderse del ataque, tía, lo que me ha pasado, qué vergüenza, el capullo de mi vecino, no sabes lo que me ha hecho...

Pero ¿qué era lo que le había hecho? Ser tan guapo, eso lo primero. De repente, tan guapo que se parecía a Luis Miguel y todo. Ay. Y dejar de ser ese crío idiota que se pasaba el día jugando a paralizar a la gente que pasaba por la calle con un aparato ultrasónico fabricado con piezas de su Lego, zas, paralizado, no puedes moverte, que no te puedes mover, he dicho. Y ser tan rubio, y tener el pelo así, ni liso ni rizado, y los ojos tan grandes, tan verdes, y los labios, el de arriba fino y el de abajo más gordo, con esa pelusa que anunciaba el bigote encima de la boca. Y las manos, qué grandes. Y el silencio, qué oportuno. Eso le había hecho, callarse. No burlarse de ella en su cara. Fingir que no pasaba nada porque no le diera la gana de subir a pata veinticuatro escalones. Es que no pasa nada, le dijo Marga cuando se lo contó. Es que no tiene nada de malo, ni es tan raro, ni estás tan gorda. Después de un cuarto de hora hablando tuvieron que colgar porque la madre de María José entró en la salita para decirle voy a cortar el teléfono, te lo juro por Dios, y a ella no le dio tiempo a contarle a su amiga que le parecía que se había enamorado de él.

Era sólo una suposición, pero cuando volvió a verle al día siguiente en el patio del colegio, se dio cuenta de que estaba en lo cierto. A ver. Ella no se había enamorado nunca, pero tenía mucho estudiado sobre ese tema (y sobre cualquiera, en general, porque le encantaba leer y se pasaba todas las tardes con un libro entre las manos y comiendo galletas de chocolate). Los síntomas, en la teoría, eran: estar todo el tiempo pensando en la persona amada, notar un pellizco en el estómago al verla, tener problemas de concentración para cualquier otra cosa (el trabajo o los estudios, según la edad de los protagonistas), perder las ganas de comer, pasarse las horas escuchando baladas de amor, tramar maneras de encontrarse con él/ella y luego no saber qué decirle, quedarse mudo y/o decir tonterías, sudar, temblar, sentirse estúpido. La lista era interminable, pero ella cumplía todos los requisitos excepto lo del hambre, porque a ella el amor le había dado por zampar como una loca y los primeros meses engordó tanto que su madre dejó de tener en la despensa galletas, dulces y bollería industrial.

Mientras tanto, sus progresos eran lentos pero firmes. Le espiaba en el patio a la hora del almuerzo y procuraba ir a la fuente a beber agua al mismo tiempo que él, y así se sonreían o se decían hola, o la rozaba al dejar el grifo, o ella fantaseaba con la idea de que le besaba al poner sus labios en el mismo lugar en el que él acababa de colocar su boca; al salir de clase se iba corriendo a casa y se agazapaba en el patio hasta la hora en la que él solía llegar, y entonces fingía que estaba sacando cartas del buzón, o que se estaba anudando un cordón de la zapatilla. A veces, subía por la escalera. Otras, se atrevía a meterse con él en el ascensor, pero ahora ya se bajaba en el primer piso.

De cuando en cuando, hablaban. Ella dio el primer paso para eso, cuando le preguntó por el partido del domingo (para entonces, podría haber hecho un dossier completo sobre él). Concretamente, le dijo ¿cuántos goles metiste ayer, Joaquín? Era una pregunta retórica, porque sabía de sobra la respuesta (dos), pero también sabía el efecto que causaría en él, es decir, la satisfacción de compartir espacio con una fan. Joaquín se puso a hablar por los codos, que si el árbitro, que si los defensas, que si el entrenador, que si el portero. Siguió hablando con ella aunque el ascensor llegó a su piso (el primero) en tres segundos, pero mantuvo abierta la puerta con su pie mientras ella le escuchaba embelesada en el rellano, hasta que un vecino desalmado empezó a golpear la puerta desde abajo al grito de pero ¿qué coño pasa con el ascensor?, ¿baja o qué? Desde entonces hablaban, sobre todo si era lunes. Ella se aprendió las alineaciones de los equipos que le gustaban, los nombres de los entrenadores y las medias de juego de los jugadores. Se tiraba todo el domingo con un transistor pegado a la oreja, escuchando la SER, dando respingos cada vez que marcaban un gol en algún campo de fútbol y el locutor parecía enloquecer. Su madre lo tomó como una más de sus manías. Ahora le ha dado por el fútbol, protestaba. Su padre se dio cuenta de lo que pasaba. Esta niña se nos ha enamorado. ¿Y qué sabrás tú del amor?, le dijo Pilar. Antes sabía, refunfuñó él.

El padre tenía razón. María José se había enamorado. Tanto. Parecía mentira que un amor tan grande pudiese caber dentro de una sola persona. Debo de tener un corazón tan enorme como mi culo, le decía a Marga. Lo que debes de ser es idiota, le contestaba su amiga, que no había leído tanto como María José sobre el tema en concreto pero que intuía que a esa pareja le faltaba uno de los requisitos fundamentales: que el otro sintiera más o menos lo mismo. Para Marga, Joaquín tenía todos los defectos del mundo: era más joven que María José, era más bruto que María José, sacaba peores notas que María José y era infinitamente más guapo que María José, lo que suponía el mayor problema de todos. En su opinión, la relación que soñaba su amiga nunca sería realidad y, si lo fuera, el sueño se volvería pesadilla porque la pobre María José se pasaría el día temiendo que viniese otra y se lo robase. En otras palabras, tal como decía su hermana mayor, siempre que veía una pareja en la que él era mucho más guapo que ella, sería como tener el coche de James Bond aparcado en la calle de un barrio marginal.

—No te ofendas —le dijo un día—, pero Joaquín nunca se va a fijar en ti.

—Ya, yo también lo creo... Si fuera más guapa...

—No, no es por eso. Es sólo que él es futbolista.

—¿Y qué tiene eso que ver?

—¿Tú no has visto con qué tipo de mujeres se casan los futbolistas?

—Pero entonces sí que es porque no soy suficientemente guapa.

—Nooooooooo. No es por eso, que no te enteras, tía. No es porque seas guapa o fea. Tú eres normal, del montón. El problema es que eres lista. Tú vas a estudiar una carrera, y ganarás cantidad de dinero, y tendrás mogollón de éxito por tu inteligencia.

María José guardó silencio. Un instante.

—Bueno, de todas formas a mí eso no me importa. Yo le quiero, ¿sabes? Y me da igual lo que él sienta por mí.

—Pero las cosas no son así. Tienes que querer a alguien que también te quiera.

—¿Por qué?

—¿Cómo que por qué? Pues porque, si no, no serás feliz. Eso sale en cualquier novela, hija.

—¡Porque tú lo digas! Las novelas están llenas de amores imposibles, y la vida real también. Hay cantidad de personas que no consiguen casarse con el amor de su vida y tienen que irse con el primero que pasa —dijo María José, sin saber que tenía una de esas parejas en su misma casa—. Yo sé que Joaquín no me va a querer nunca, pero a mí me da lo mismo. Le quiero y ya está.

Marga, que no podía ni imaginar que en aquella discusión era María José la que estaba en lo cierto y que al cabo de los años conseguiría el amor de Joaquín, sentenció:

—Algún día se te pasará.

Pero no. No sólo no se le pasaba, sino que cada día ese amor infantil iba en aumento. María José era la reencarnación de Juana la Loca y, en efecto, perdió la cabeza por Joaquín. En las vacaciones de Navidad, el turrón se le atragantó porque llegó con las notas: cinco suspensos. Su madre puso el grito en el cielo, ¿en qué estás pensando?, esto no puede seguir así, vamos a tomar medidas drásticas, los estudios son tu futuro, no te lo voy a consentir. El padre se reafirmó en su idea (la niña está enamorada), y aunque trató de mirarla con cariño a través de la bronca de su madre e intentó mediar con un débil tengamos la fiesta en paz, aún le queda medio curso por delante para remontar, no quiso enfrentarse a la ira de su mujer, primero porque la temía, y segundo porque en realidad Pilar tenía razón y si pinchaba en octavo no quería ni pensar lo que pasaría cuando llegase al instituto.

Verla así, callada, culpable, avergonzada y de remate enamorada, le hizo sentir una ternura inmensa hacia su hija, igual que cuando tenía siete meses y cogió una faringitis terrible que la tuvo dos noches con cuarenta de fiebre. Pilar y él se turnaban para consolarla y para dormir, y hubo un momento en el que él la tenía en los brazos y ella le miró con esos profundos ojos negros, como diciéndole venga, papá, confío en ti, me pongo en tus manos, bájame esta fiebre de una vez, y él creyó que iba a reventar de amor por ese trozo de carne. También le trajo otros recuerdos. Las piernas de Pilar, tan bien depiladas, sobre la tapicería de su MG, o la risa de Pilar cuando iban a tomar mejillones y a beber sifón a ese bar que estaba en el barrio del Carmen y que se llamaba como ella, o el silencio cómplice de Pilar cuando él se acercó a besarla por primera vez, muerto de miedo por si le rechazaba, la primera vez que hicieron el amor, unos meses antes de la fecha de la boda, ese cuerpo desnudo que él creyó que le esperaba avergonzado, aunque con el tiempo se dio cuenta de que confundió el pudor con el fastidio. El amor de Pilar duró bien poco. Él también se había enamorado, hacía mil años, cuando él era otro hombre y ella era otra mujer y la vida era otra vida.

Paco no solía rezar, aunque cuando María José era pequeña se acercaba a su cuna y juntaba las manos y tuteaba a Dios para decirle por favor te lo pido, que nunca le pase nada a mi hija que yo no sea capaz de evitarle, y si le pasa, que no sea nada que yo no pueda consolar. Así que, si de verdad estaba enamorada, sí podía ayudarla, porque él sabía de amor. Y si le salía mal, le sería más útil todavía, porque en el desamor tenía mucha más experiencia.

Pilar se pasó todas las Navidades refunfuñando, sin perdonarle ni la cena de Nochebuena, y le demostraba su enfado entre gamba y gamba, con unas miradas heladas que María José trataba de encajar sin echarse a llorar. Antes de que terminasen las vacaciones se había recorrido medio barrio buscando una profesora, una buena chica que ya fuera al instituto y que hubiera sacado unas notas decentes, que le diera clases particulares a un módico precio, pero tanto esfuerzo fue en vano porque María José recuperó enseguida el gusto por los estudios, para regocijo de Pilar. En el primer partido del año, un defensa quiso parar a Joaquín, que subía por la banda izquierda dispuesto a servirle en bandeja un gol a Pérez, el delantero que estaba mejor situado, y consiguió su objetivo porque le partió la rodilla y le quebró la rótula. Pobre Joaquín, decía todo el mundo, aquí se acaba su carrera como futbolista. María José coreaba la cantinela (pobre Joaquín), pero en su interior estaba encantada de la vida, no porque su amor no acabase jugando en la selección (aunque, en el fondo, temía que Marga tuviera razón con lo de las mujeres de los futbolistas), sino porque la lesión le tendría un par de meses sin salir de casa, es decir, en su reino.

Subió a visitarle a los cuatro días, un tiempo que a ella le pareció eterno pero que era el justo, según Marga, para que no pareciera desesperada por verle. Se puso un suéter de lana blanco y azul que le había regalado su abuela por Reyes; lo había tejido ella misma, con los calentadores a juego, y aunque el conjunto (jersey, vaqueros y calentadores) le hacía un poco tapón, se lo puso de todas formas para demostrarle que estaba a la moda, que se ponía lo que le daba la gana y que a ella el físico le importaba un pimiento. Joaquín ni se dio cuenta. Parecía más niño que nunca, con un pijama de Spiderman y unas zapatillas en forma de perro, con sus orejas y todo. Estaba triste, desencantado, hastiado de la vida que le esperaba desde ese momento porque estaba claro que su futuro como futbolista había llegado a su fin.

—Si no soy futbolista, no quiero ser nada.

—¿No hay nada más que te gustaría ser?

—...

—¿Nada? Algo habrá. Yo, por ejemplo, desde siempre he querido ser azafata, pero por si acaso no podía también me gustaba ser veterinaria. Y fíjate, que ahora lo que más me apetece es lo de los animales.

—Yo no, yo sólo he querido ser futbolista.

—Siempre puedes ser entrenador.

—Futbolista o nada, así que no seré nada.

—No te lo tomes así, hombre —le dijo María José—. A los doce años no se le acaba la vida a nadie.

Al decirlo, a los doce años, se dio cuenta de que en realidad Joaquín no era más que un niño. Le dio vergüenza quererle como le quería, y en el fondo de su año de ventaja se preguntó si no estaría enamorada de la idea del amor, o algo parecido (seguramente, no fueron

61

ésas las palabras, aunque sí fue así como ella lo recordaría años después), pero de todas formas salió de aquella visita con dos victorias: la primera, se comprometió a llevarle la lista de tareas todas las tardes, a darle clases de repaso, y a estar con él otra hora mientras él hacía los deberes y ella hacía los suyos. Para eso, tuvo que convencer a su madre de que aprobaría todos los exámenes, y Pilar, que no había encontrado profesora particular, cedió. Al salir de la casa entró en la cocina con el pretexto de beber agua y desde allí se coló en la galería, donde estaba el tendedero. Desde entonces, todas las noches, antes de dormir, sacaba de debajo del colchón el segundo premio de aquella tarde. Oficialmente se había llevado una camiseta, que fue lo que le enseñó a Marga, pero con lo que ella dormía apretado contra su pecho eran unos calzoncillos de Joaquín que robó de las cuerdas tan atemorizada por si la sorprendían que ni se entretuvo en quitarles las pinzas. Eso ni Marga lo habría resistido.

María José cumplió su parte del trato. Todas las tardes, subía a casa de Joaquín con los ejercicios que tenía que entregar al día siguiente y con los temas que debía estudiar que le habían dado los profesores de Joaquín. Se quedaba allí hasta que su suegra entraba y le decía no es hora de que vuelvas a casa, y ella captaba la indirecta y se marchaba. Al principio, sólo hablaban de las clases, de las matemáticas, de la geografía o de la lengua pero, poco a poco, la relación fue avanzando hacia otros temas. Tampoco nada del otro jueves, los amigos, los juegos, las películas, los tebeos, los libros que había leído María José el año anterior y que le recomendaba a Joaquín sin que él le hiciera mucho caso. Cuando él terminó su convalecencia, los pelos de su bigote se habían hecho más oscuros, la voz se le había vuelto ligerísimamente más grave y estaba empezando a valorar la posibilidad de que su vida de adulto no fuera a convertirse en una auténtica mierda porque María José le había sacado de la biblioteca pública una enciclopedia de profesiones en las que estaban descritos todos los trabajos del mundo. Por orden alfabético, le gustaban: aviador, botánico, conductor (de trenes, barcos, aviones, motos, coches, camiones, etc.), dentista (ya que no podía ser defensa de fútbol), encofrador, funámbulo (ya que no podía ser futbolista), gasolinero, historiador, inventor, jardinero (ya que no podía ser jugador de fútbol), lijador, marinero, navegante (que era lo mismo que marinero, ya lo sabía), oficial (de cualquier tipo de ejército), peluquero canino, quesero (le encantaba el queso), ratero, soldado (a poder ser, prefería ser oficial), torero, ufólogo (si conseguía demostrar que había vida extraterrestre sería infinitamente mejor que ser delantero de la selección), veterinario (como a María José), zoólogo. Algunas eran inalcanzables, ya lo sabía, pero le gustaban de todas formas. María José se sentía feliz de verle feliz. Fue su cumpleaños, trece. Ella le regaló un barco dentro de una botella.

—Por si te decides por la marina —le dijo.

Él le dio un beso rápido y tímido en la mejilla.

—Eres una buena amiga —le contestó, y la miró como si fuera a revelarle su secreto más profundo. A María José se le encogió el corazón, y la miró como si fuera a revelarle su secreto más profundo—. Ojalá fueras un chico...

—¿Un chico?

—Sí..., así iríamos juntos a todos los sitios, y yo te contaría quién es la chica que me gusta y todo eso.

—Pero ahora no te gusta ninguna, ¿no?

—No, ahora no, pero me ha dicho Manolo que dentro de poco empezarán a gustarme.

El tal Manolo tenía razón: poco después, Joaquín andaba loco detrás de cualquier chica, excepto de María José. Tampoco es que tuviera que perseguirlas, porque María José había tenido buen ojo y Joaquín se convirtió en el niño más popular de todo el colegio. Natural. Era el más guapo de todos con diferencia. Eso lo veía María José, lo veía Marga y lo veía Vanesa y lo veía Paola y lo veía Íngrid y lo veía Marta y..., vamos, que lo veía todo el mundo, y Joaquín no desaprovechaba la oportunidad. En unos meses, dejó atrás al niño que había sido cuando María José se enamoró en el ascensor antes que nadie. Empezó a fumar para hacerse el mayor, y por el mismo motivo, a beber litronas los fines de semana y a pasearse con la chavala de turno pasándole el brazo por el hombro.

—Pero si acabas de cumplir tienes trece años —se quejaba María José.

—Ya te decía que deberías ser un chico..., entonces me comprenderías.

María José, que no era chico, no sólo no le comprendía, sino que no era capaz de concebir cómo iba con todas esas guarras si ni siquiera le gustaban, por qué se emborrachaba si hasta entonces había sido un deportista, y cómo era que fumaba si su padre se había muerto de cáncer de pulmón. Pero hizo de tripas corazón y prefirió no decirle nada de eso, ser lo más parecida a un hombre que pudiera para mantenerse cerca de su amor, aunque eso la convirtiera en la heroína de cualquier novelucha de tres al cuarto, de esas que aman al vecino du-

rante años en silencio y a escondidas y al final se lo llevan al altar o, en su defecto, a la cama. A María José, que
era una gran mujer con mala suerte en la vida, le quedaba mucha vida, desgraciada y triste, por delante para llegar a cualquiera de esos dos momentos.

Pilar recuerda lo que le cuenta Marga. No todo. No con el detalle que le gustaría, porque lo que le gustaría es verlo de nuevo, ahora que sería capaz, y no como entonces, que todo pasaba delante de sus ojos de amargada (María José tenía razón) sin que se diera ni cuenta. Pero lo recuerda. Recuerda a su hija empecinada en darle clases particulares al vecino de arriba, se recuerda a sí misma despreciándola, tú, pero ¿de qué vas a dar clases, si no me has aprobado nada? Recuerda también las largas tardes de cuchicheos con Marga, encerradas las dos en su habitación, y los infructuosos esfuerzos de María José por perder peso. Era capaz de pasarse tres días haciendo la dieta de la piña y luego lloraba a moco tendido en la cocina porque al llegar el cuarto no había podido resistir la tentación de zamparse un bocadillo de pan con chocolate y lo mandaba todo a la porra, la dieta, los kilos, el amor propio.

—Pero ¿por qué quieres adelgazar? —le preguntó una vez, fingiendo ser una mezcla entre Elena Francis y una amiga, dos papeles que no le iban en absoluto.

—Pues porque estoy como un tonel, ¿por qué va a ser?

Ese día, extrañamente, Pilar estaba de buen humor y no se dejó amilanar por el mal tono de su hija.

—No te pongas a la defensiva... Te lo pregunto porque, si sabes por qué quieres hacer algo, lo que sea, si lo tienes claro, es más sencillo que puedas conseguir tu objetivo.

María José la miró con indiferencia. Entonces ignoró su mirada y continuó hablando (tienes que hacerlo por ti misma y no porque en clase se metan contigo, bla-bla-bla). Hoy no sería capaz de hacerlo. Hoy se callaría. Es más, hoy cogería el chocolate del armario azul y blanco de formica de la cocina y haría un par de bocadillos más, uno para ella y otro para su hija, y bromearía sobre sus michelines y le confesaría que ella estuvo hecha una vaca hasta los diecinueve años, que recuerda perfectamente la edad porque estaba enamorada como una burra (lo mío era el mundo animal, le diría, para arrancarle una sonrisa de los labios enfurruñados) de un chico que estaba loco por ella y por sus curvas, y que se quedó flaca cuando él dejó de quererla, o quizá la siguió queriendo, quién sabe, pero el caso es que la dejó por otra, el muy cobarde, el muy hijo de mala madre, María José, me dejó por otra, y le diría que lo único bueno que le trajo ese abandono fue, que de haber seguido con él, habría tenido otros hijos que no hubieran sido ella, que ella es lo mejor que le ha pasado en la vida, que desde entonces ha estado delgada porque el abandono de aquél chico, Fermín se llamaba, le dañó para siempre jamás dos órganos fundamentales de su organismo, el corazón y el estómago. Uno se lo rompió en mil pedazos y el otro se lo dejó cerrado, inútil para reconocer más sabor que el de la bilis, que era lo que llevaba tragando desde entonces, bilis pura y dura, amarga y dolorosa. Ya ves, hija, le diría, incapaz de amar y de saborear lo bueno de la vida, que al fin y al cabo es lo mismo.

Le diría eso. Se lo diría. Sí, lo haría, se lo dice varias veces (lo haría, lo haría, lo haría si pudiera), y entonces es cuando oye una vocecita dentro de su cabeza que le dice pero ¿y por qué no?, y ¿por qué no decírselo ahora? Pilar piensa que está perdiendo el juicio, pero la voz no desaparece ninguna de las tardes que va a hacerle compañía a su hija, e incluso le habla en latín (*quid pro quo*, le dice la voz, y luego le hace una traducción libre: tú has leído su diario y ella debería saber de ti), y Pilar piensa que esa voz debe de ser real, que no es suya porque ella, que habla francés porque al fin y al cabo cuando nació era francesa, de latín no tiene ni repajolera idea, así que no le queda más remedio que aceptarla, que escucharla, y una tarde acerca la silla a María José, y mira de reojo al hijo de la mujer de la cama de al lado, la 126 B, el cura, que lee absorto el *ABC* y levanta las cejas de vez en cuando, escandalizado por alguna noticia (¿Adónde vamos a ir a parar, Virgen del Carmen?).

La profesora duerme. Pilar le coge la mano a su hija y traga saliva antes de hablar, porque le da vergüenza hacer lo que hace Marga, lo que supone que hace Paco, lo que hace todo el mundo cuando visita a sus parientes, lo que hicieron los compañeros de aquel chico cuando grabaron el vídeo para sacarlo del coma (Caaaaaaaarloooooos, despieeeeeeerta). La voz insiste, hazlo, hazlo, quién sabe si reaccionará algún día y te dirá que te oyó y que te comprende y que te perdona y que te quiere. Hazlo. Díselo. Todo.

—Yo también tuve un amor imposible —le dice al

oído. Luego se corrige—: Bueno, no fue un amor imposible, pero sí fue un amor que me hizo mucho daño.

Mira a María José.

—Si no quieres que te lo cuente, me callo.

Vuelve a mirarla.

—Hazme la señal que quieras. Estooooo... Perdona, hija, la que quieras, no, la que puedas... Parpadea, o respira más fuerte... Lo que sea, y se acabó, me callo y ya está, y ni me enfado ni nada.

La mira, otra vez, y como no hay nada parecido a una señal, se lanza a la piscina.

—La vida tampoco ha sido para mí lo que yo esperaba.

El cura levanta la vista del periódico. Pilar se pregunta si María José no estará tan molesta con ella que prefiere no enviarle señales personales y le ha usado como intermediario, pero el hombre vuelve a su lectura a los pocos segundos, y ella decide continuar.

—Mi desengaño se llamaba Fermín.

Efectivamente, se llamaba Fermín y también era su vecino. No tan vecino como María José y Joaquín, porque ellos no vivían en el mismo edificio, pero sí en la misma calle (Recaredo), en pleno barrio chino, rodeados de putas todo el santo día. Vivir allí era difícil, pero en la vida de Pilar nada había sido fácil, así que tampoco notó mucha diferencia. Ella nació en Orán. Sus padres trabajaban en un hotel que un paisano de la madre, que era de Elche, había puesto en marcha con el pomposo nombre de Gran Hotel en la rue René Étienne. En realidad, de grande no tenía nada, era más bien mediano.

El paisano los convenció para que emigraran, le ofreció trabajo a su madre como limpiadora y al padre le propuso la barra de la cafetería. Decidieron irse, algo temporal para ahorrar dinero, pero cuando quisieron darse cuenta ya habían pasado casi dieciocho años, su hija era ya francesa (francesa, Guadalupe, francesa, y no españolita como nosotros), y el futuro se les prometía brillante como el sol del mediodía, y si no llega a ser por una sucesión de terribles acontecimientos (Argelia se independizó de Francia, Francia se desentendió de los colonos, los argelinos asesinaron a más de dos mil europeos en una sola noche, los inmigrantes perdieron todas sus posesiones), lo mismo ni habrían vuelto.

La cuestión es que regresaron. Un matrimonio amargado que apenas se hablaba y una hija que nada más llegar se enamoró (como una burra) del primer chico que la piropeó por la calle. Sí. Así fue. Hay quien se vende más caro, pero ella, que había estado medio recluida toda su vida porque sus padres no querían que se prendase de un argelino, se quedó como hipnotizada por ese niñato deslenguado y desgarbado que estaba siempre sin hacer nada, sentado en la terraza de un bar, y se atrevió a gritarle desde el otro lado de la calle hoy los ángeles han decidido bajar a la tierra el mismo día que se pusieron a vivir en el piso de Recaredo, una casa horrible, mal orientada, fría en invierno, calurosa en verano, pequeña y ruidosa, pero que hoy le parece el sitio en el que más feliz ha sido en la vida.

Él siempre estaba allí, en el mismo bar, y cada vez que la veía tenía un halago para ella. Al principio, eran del estilo del primero, respetuosos y casi decentes, pero poco a poco fueron subiendo de tono, eso es un cuerpo y no el de bomberos, ay, mi madre, llévame a urgencias porque me está entrando fiebre al verte, en ese culo podría aterrizar un avión. Ella fingía que le molestaban, y más de una vez susurró un grosero al cruzarse con él que no hizo más que darle alas porque su insulto sonaba más falso que los billetes de cuatro pesetas.

Un día, los piropos se acabaron. Cuando salió de casa, él hacía lo de siempre, es decir, miraba pasar el mundo sin hacer nada más que beber una cerveza (tras otra), pero guardó silencio al verla. A Pilar se le encogió el corazón. Ya está, pensó, ya se ha terminado, y estuvo a punto de echarse a llorar. Ya se ha terminado, ya se ha terminado, se repetía a cada paso, y la otra Pilar, porque en Pilar convivían dos Pilares (una que quería ser feliz y otra que había aceptado que a este mundo ignominioso se viene nada más que a sufrir), le preguntaba pero ¿el qué se ha terminado, idiota?, ¿el qué, si no teníais nada?, y la primera Pilar le respondía la alegría se ha terminado, ¿es que no lo ves?, la alegría es lo que se ha terminado. La segunda Pilar mandó callar a la primera, pues esto es lo que hay, le dijo, y la Pilar que quería ser feliz agachó la cabeza y apretó el paso para que él no pudiese darse cuenta de su tristeza.

Al día siguiente, sucedió lo mismo. Y al otro, y al otro, y al poco empezó a oír cómo echaba flores a otras. Eso terminó de matar su esperanza. La Pilar amargada (que al final acabaría sobreviviendo a la otra) le dijo ¿lo ves?, todos son iguales, tiene razón la mamá, menos mal que te has dado cuenta antes de que pasara nada.

La frase estaba llena de verdades como templos. Empezando por el final, era cierto que lo mejor que podría haberle pasado era eso, comprender que era un cerdo cuando todavía era un cerdo sin nombre.

Y en cuanto al comienzo de la frase (tiene razón la mamá)..., sí, probablemente todos eran iguales, iguales entre sí, iguales que su padre, encantadores, galantes, seres en los que no se podía confiar, infieles por naturaleza. Eso lo había aprendido escuchando las conversaciones (por llamarlas de alguna manera) entre sus padres después de que la madre le sorprendió con la mujer del paisano de Elche en una habitación del Gran Hotel. Hablaron de ello muchas noches, muchas, en interminables monólogos en los que su padre trataba de justificar lo que para su madre era injustificable. Al padre se le entrecortaba la voz, gimoteaba, lloraba, intentaba hilar frases inconexas (yo nunca..., te quiero, esa mujer..., lo eres todo para mí, y cosas similares) para convencerla de que la otra le había buscado, le había provocado durante años, casi desde el principio, que él había tratado de evitar lo inevitable porque al fin y al cabo él era un hombre, un hombre (lo repetía varias veces, como para hacer acopio de razón), y se había visto en la obligación de sucumbir sin que eso significase que no la quería, que daba la vida por ella y por la niña, que lo que había hecho no tenía importancia alguna, que siempre pensaba en ella cuando estaba con la otra, que era a ella a la que amaba, créeme, créeme (también esto lo repetía varias veces, seguramente con el mismo propósito que lo del hombre).

Pero la madre ni le creía ni le dejaba de creer. Le daba lo mismo (o eso aparentaba, porque ya sabemos que no quería que nadie conociera sus sentimientos para que no pudieran lastimarla), y no le temblaba la voz para exigirle que bajase el tono, para decirle que no quería que la niña los oyese, que no quería oírle, que sus explicaciones le entraban por una oreja y le salían por la otra, que ella ya sabía que todos los hombres eran iguales, que no la había engañado ni por un momento, que por ella podía acostarse con ese pedazo de zorrón las veces que le viniese en gana pero que, eso sí, tuviesen cuidado de que no los sorprendiera su marido porque le mataría (que tampoco le importaba), y porque perderían el trabajo (que eso ya le importaba bastante más).

El padre le suplicaba que le perdonase, y ella le pedía que se callase de una vez, y vuelta a empezar. Su ma-

73

trimonio, que antes no es que hubiera sido un ejemplo de armonía y felicidad, quedó herido irreparablemente.

Desde entonces, se usaban las palabras justas para mantener el orden doméstico o para tenerse informados sobre las necesidades de Pilar, o para decirse que tenían que volverse corriendo a España, o para comunicarse noticias de interés diverso del tipo Pilar se casa, me estoy muriendo, que fue en lo único en lo que se pusieron de acuerdo: los dos tuvieron cáncer, una de estómago y otro de pulmón con sólo cuatro meses de diferencia. Ni para eso hicieron las paces. Su madre, que fue la primera, se marchó para el otro mundo guardando obstinado silencio cuando su marido le cogió de la mano y le preguntó dime, Guadalupe, si me has perdonado. Ella miró para el otro lado de la cama, apretó los dientes y sólo tuvo palabras para prevenir a la hija: ten cuidado con ese Paco con el que te has casado, no te confíes aunque parezca manso porque todos los hombres cojean de la misma pierna.

Así que el principio de la frase era también cierto: por suerte para Pilar, se había dado cuenta de que el piropeador era un cojo de solemnidad sin haber tenido que casarse con él. Pero también era cierto que Pilar tenía las hormonas y la imaginación completamente alborotadas, y que cada vez que le veía sentía que el corazón se le iba a salir por la boca, quién sabe por qué motivo.

Por las noches no conseguía soñar con él, así que no le quedó más remedio que fantasear despierta a la menor oportunidad (mientras limpiaba la casa, cuando iba en el autobús a la academia de peluquería y estética, al apagar la luz, antes de dormirse), y en sus fantasías él se levantaba de la silla del bar y se dirigía hacia ella y la cogía de la mano y la miraba a los ojos y le pedía perdón y matrimonio en el mismo momento, y le confesaba que la había amado desde el primer instante en que la vio y... y entonces la casa ya estaba limpia o el autobús llegaba a su parada o el sueño la vencía, y al día siguiente, vuelta a empezar.

¿Le quería? Hoy sabe que no, que el amor es algo más que depositar todas y cada una de tus esperanzas en otra persona, y sabe también que seguramente estuvo más cerca de sentirlo por Paco que de amarle a él, y, lo que es peor, también sabe que lo más probable es que nunca quisiese a ninguno de los dos, a su marido por pereza y al otro por puro desconocimiento.

Pero la Pilar de diecisiete años creía estar loca de amor, loca de amor cuando él dejó de hacerle caso, y más loca de amor cuando una tarde la abordó como si la conociera de toda la vida.

—Hola, Pilar —le dijo.

Ella estuvo a punto de hacerse la estrecha, de ignorarle, o de preguntarle cómo era que sabía su nombre, pero se dio cuenta de que se le había cumplido el sueño y prefirió no tentar a la suerte y aceptar que, a esas alturas, ella también lo sabía todo de él: que se llamaba Fermín, que no había conocido a su padre porque desapareció a finales de la guerra, que su madre hacía trabajitos finos en su casa (vamos, que era puta), que él era un fanfarrón que ya había pisado varias veces los calabozos por sospechas de robos que nunca se llegaron a probar, que dejó a una chica embarazada y se desentendió de ella (quienes decían esto eran los mismos que aseguraban lo de su madre), que tuvo un hermano gemelo que se murió a los siete años, que por lo de su padre y por lo de sus antecedentes casi nadie le quería contratar y por eso se pasaba el día sentado en el bar y que, si no se enderezaba, acabaría en un mercante o en la cárcel, lo que venía a ser lo mismo porque se traducía en que no volvería a verle nunca jamás en la vida.

Y para ella perderle de vista era infinitamente peor que tener relaciones con el hijo de un rojo y de una puta (con perdón), con un tarambana que a saber cuántos niños tendría ya por el mundo, y, por supuesto, con un muerto de hambre, así que le tapó la boca a la otra Pilar y le contestó hola, Fermín, y le dijo que sí cuando él le preguntó si quería tomar una cerveza, y le escuchó con interés todo lo que le contó (no era tan mala gente como decían por el barrio, habría estudiado de haber podido, le gustaba leer libros de vaqueros y, como no tenía dinero, los cambiaba en el quiosco cada semana, quería casarse y tener cinco hijos para llevarlos a los toros), y le rió todas las gracias (¿sabes el chiste del fantasma de los ojos azules?), y hacia el final de la segunda caña de Fermín (ella no había tocado la suya) casi le dio un ataque cardiaco cuando él le puso la mano encima del muslo.

—Pilar.

—...

—A mí no me gusta dar vueltas.

—¿Qué quieres decir?

—Que me gustas mucho, muchísimo. Que me gusta cómo me miras, que me gusta imaginar que estoy contigo, que ya sé que las cosas no se hacen así, pero que yo no soy como los demás.

—...

—¿No dices nada?

Pilar dijo la verdad, que no sabía qué decir. Los dos guardaron silencio un rato que a ambos les pareció interminable y que dedicaron a imaginar lo que pasaba por la cabeza del otro. Fermín se figuró que iba a mandarlo a la mierda en cuanto se terminase la cerveza, se reprochó haber calculado mal sus posibilidades, se dijo que Pilar era una niña que no era como las mujeres a las que él estaba acostumbrado a tratar, y se contestó que quizá por eso le gustaba tanto. La miró. Se preguntó qué pensaría ella. Pilar le sostuvo la mirada y pensó que le había defraudado. Se figuró que iba a mandarla a la mierda en cuanto se terminase la cerveza, se reprochó no haber sabido reaccionar de otra manera, se dijo que si él la había abordado así era porque creía que no era una niña, que era como las mujeres a las que él estaba acostumbrado a tratar, y se contestó que no estaba dispuesta a perder esa oportunidad. Le miró. Fermín le sostuvo la mirada.

—Yo no sé si me gusta dar vueltas o no. No tengo más que diecisiete años.

—Ya.

—Y no he vivido tanto como tú.

—Ya.

—Pero lo que sí sé es que tú también me gustas mucho, y que tampoco tengo ganas de perder más tiempo.

Fermín sonrió.

—Sólo te pido una cosa.

—Pídeme lo que quieras.

A ella se le llenaron los ojos de lágrimas.

—No me hagas daño, Fermín.

Le quitó la mano del muslo y entrelazó sus dedos con los de ella.

—Eso nunca. Te lo prometo.

María José abre los ojos un segundo y los vuelve a cerrar. Pilar se sobrecoge, cree que es una reacción a lo que le está contando, pero no. Es Cleopatra, que ha encendido la luz al entrar. Ya es de noche. La profesora de física médica está dormida, su hijo se ha marchado, la habitación está a oscuras. La tarde, normalmente lenta y tediosa, ha pasado sin que Pilar se haya dado ni cuenta. Cleopatra le pregunta qué tal ha ido el día y si hay alguna novedad o alguna orden para la noche. Bien, no, nada, le dice Pilar. Tiene la garganta reseca y los ojos llorosos, como aquella tarde de hace cuarenta y cuatro años. Se acerca a su hija antes de marcharse y le da un beso cálido, casi cómplice, y al oído le dice que a Fermín, al hacerle la promesa, también se le llenaron los ojos de lágrimas. Sonríe, porque ahora se da cuenta de que seguramente fue porque sabía que no sería capaz de cumplirla.

Paco cumple todo lo que promete. Siempre, aunque no le guste. Por eso va al hospital por la mañana. Pilar lo decidió así y a él le pareció bien. En realidad, Paco nunca le ha discutido nada a su mujer, pero en esos momentos no está para plantar cara. Su hija se le está muriendo. Esa frase lo llena todo. Todo su tiempo, todos sus pensamientos, todo su cuerpo. Cuando le duele algo, se pregunta si le estará doliendo a ella. Cuando amanece se pregunta si el sol se verá desde su ventana. Siempre la ha querido, siempre, pero no con la firmeza de estos días, que pueden ser los últimos. María José es su vida. No está para discutir. No está para nada.

Ha dejado el trabajo. Es camionero. Se ha pasado los últimos años de su vida transportando naranjas a Polonia. A Pilar no se lo ha dicho, pero ha cogido una excedencia de seis meses y si al cabo de ese tiempo María José sigue viva la renovará por seis meses más. En la empresa (Transnaransa) le propusieron cambiar el largo recorrido por algo más próximo, dejar los cítricos y pasarse a los pollos, por ejemplo, pero a él, en las circunstancias en las que se encuentra, el matadero le da grima, y luego está lo del miedo, porque ahora le ha cogido terror al volante. Es un temor extraño. No le asusta un accidente (eso le preguntó la sicóloga del hospital), sino que su niña se muera y él no esté cerca. El jefe de personal le ha dicho en confianza que no podrán aguantar esa situación durante más de un año, pero a él le da lo mismo. No cree que María José viva todo ese tiempo, y cuando su hija muera no tiene más plan que morirse él también. Ningún padre debería sobrevivir a su hijo, es antinatural, y sin embargo a diario ve en el hospital a otros que pasan por su mismo trance. Se imagina que los demás pensarán lo mismo que él, pero de vez en cuando los ve abrazarse con su mujer, o con otros hijos, o con sus padres, o con algún amigo que viene de visita y es consciente, entonces, al verlos, de lo que echa en falta ese mínimo consuelo. Una vez Marga fue a ver a María José por la mañana y, al irse, le puso la mano en la cara y luego le pasó los brazos por la espalda y lo atrajo hacia ella, un gesto que él convirtió en corto porque ya ha perdido la costumbre, pero al margen de ese día, no tiene a nadie más a quien abrazar. Su vida es una mierda, ¿qué sentido tiene prolongarla más? Ninguno.

No sabe cómo lo hará (matarse), pero que lo hará es la mayor certeza que ha tenido nunca, y eso que certezas las ha tenido a montones. No lo parece. Paco tiene toda la pinta de haber hecho de la duda su forma de vida y, sí, vale, de acuerdo, puede que haya vacilado más de una vez en sus decisiones, puede que hasta que María José no terminó la EGB se estuviera preguntando si no debería haber insistido en apretarse el cinturón para matricularla en un colegio privado, y es posible que nunca haya sabido responder con rapidez a las preguntas más elementales (carne o pescado para comer, gaseosa o limonada para hacerse una clara con la cerveza o aceitunas o almendras para acompañarla), pero hay cosas en las que nunca ha dudado: no dudó en acostarse con Pilar sin esperar a la boda, ni cuando ella le dijo que estaba embarazada, no dudó de su palabra cuando le juró que había perdido el bebé; no dudó en confiar en ella cuando todo el mundo le decía que se la estaba pegando; no dudó en estar a su lado en ese otro embarazo muchos años después, ese que también se malogró, ese que fue fruto del Espíritu Santo porque él no la tocaba desde hacía meses hasta que de repente un día Pilar quiso hacer el amor con él y al poco vino con el anuncio de que estaba preñada, ni dudó en consolarla después del aborto ni se enfadó por las miradas de ella, tan hirientes, cada vez que le decía no te preocupes, Pilar, ya tendremos otro hijo, ni dudó en mantenerse firme en su amor cuando era evidente que había muerto. No dudó, no. Después, simplemente, se dejó llevar. Estaba cansado. Había puesto demasiada energía en amar a Pilar y no tuvo fuerza para plantarle cara al desamor.

Podría haberse separado, pero estaba María José, y con ella tampoco dudó nunca. ¿Quererla? La quería. ¿Escucharla? La escuchaba. ¿Consolarla? La consolaba. ¿Animarla? La animaba. Hubo poco más que hacer. María José fue una niña fácil. Fácil para él, al menos, porque con él no mantuvo una guerra fría como con su madre. A veces se lo decía a Pilar: Pilar, no seas tan dura con la cría, y Pilar le fulminaba con los ojos y por la noche le daba hígado para cenar. Si insistía, Pilar, no trates así a la cría, volvía a fulminarle con la mirada y por la noche le daba lengua de vaca para cenar. Si volvía con la misma canción, tenía una respuesta parecida (mirada fulminante y cualquier producto de casquería, que era lo que más asco le daba en este mundo, a la hora de la cena).

Una vez, siendo una niña, su hija le preguntó papá, ¿por qué es así mamá?, y él no supo qué contestarle. Mejor dicho, sí supo (tu madre es una cabrona), pero no quiso, y le dijo que estaba enferma de los nervios. Años más tarde su hija volvió a preguntarle papá, ¿por qué es así mamá?, y volvió a contestarle que porque estaba enferma de los nervios, pero ya no coló.

—Mamá no está enferma —le contestó—. Lo que está es amargada.

Paco pensó que su hija se estaba haciendo adulta y le entraron unas ganas enormes de llorar.

—No está amargada...

—¿Cómo que no?

—Lo que le pasa a tu madre es que no es feliz.

Ahora fue María José la que tuvo ganas de llorar.

—¿Y es culpa nuestra? ¿Nosotros no la hacemos feliz? ¿Es por mí?

Paco sonrió.

—No, qué va, qué va a ser por ti... Más bien es por mí.

—¿Por ti? ¡Pero si tú eres el hombre perfecto! —Su hija le abrazó, entonces sí era el tiempo de los abrazos—. Si no estuviera enamorada de Joaquín, que no tiene nada que ver contigo —se rieron los dos—, me buscaría uno que se te pareciera.

—Las cosas son más complicadas que todo eso, María José.

—¿Por qué?

Paco dudó (era su carácter) antes de contestar. Por

un momento, pensó contarle toda la verdad a su hija, pero luego cambió de idea. Le pareció una putada reventarle la ilusión tan pronto, como cuando se enteró de que los Reyes Magos eran los padres (los sorprendió colocando los regalos en el comedor), o como cuando se murió Chanquete la primera vez (luego se fue muriendo todos los años, cuando reponían «Verano azul», y ya no se disgustó tanto) o, lo peor de todo, como cuando supo que en realidad todas las niñas no eran princesas (vio en un telediario a los niños desnutridos de Etiopía), así que guardó silencio y no le dijo que las cosas eran muy complicadas porque su madre estaba enamorada de un novio que la dejó por otra cuando era una adolescente poco mayor que ella, que él lo había sabido siempre pero que había confiado en conquistarla poco a poco, que por un momento creyó que lo había conseguido pero que todo fue una fantasía, que su madre le guardaba rencor por no ser como había sido el otro, por no haberle dado la vida que le había prometido, la que había soñado, que los dos eran unos cobardes y no querían afrontar la vergüenza de una separación, que tal vez se habían acostumbrado a vivir así, con todo ese resentimiento a cuestas, y que, en última instancia, él prefería cenar sesos todas las noches de su vida a estar lejos de su hija. Se calló un instante y luego le dijo:

—Porque las cosas, a veces, simplemente no funcionan.

Así que Paco está acostumbrado a eso, a que las cosas no le funcionen, pero lo de María José le supera. Por eso quiere morirse. Morirse. Terminar. Descansar. Reunirse con ella. Volver a vivir. Cómo hacerlo es lo de menos. ¿Duda? Claro que sí. En un principio, se decidió por las pastillas y le birló a Pilar una caja entera de Lexotan, que es lo que ella usa para dormir. Su mujer se volvió loca, buscándolas. ¿Dónde están las pastillas, dónde están las pastillas?, rezongaba por toda la casa, que yo sin las pastillas no puedo dormir, y menos ahora. Él se calló y se arrebujó entre las sábanas. Intentó reaccionar como lo haría ella (pues te fastidias), pero le pudo el corazón. Le supo mal verla así, desencajada y reclamando a gritos el derecho al descanso, así que se levantó, fingió encontrarlas en un estante del baño y se hizo el ánimo de robárselas de una en una para no condenarla a las noches en blanco. Si los médicos estaban en lo cierto, tendría tiempo de sobra de garantizarse una muerte indolora y pacífica, como la de su hija, pero cuando llevaba unas quince pastillas leyó en algún lugar que quitarse la vida con barbitúricos era propio de mujeres. Cambió de idea, obviamente. Por nada del mundo quería que Pilar se metiera con él aun después de muerto (no ha sido hombre ni para suicidarse), así que tuvo que buscar otras opciones. ¿Duda? Claro que sí. Después de mucho pensar, consiguió tener sólo dos alternativas: la electrocución (llenar la bañera, escuchar algo de música, no sabe aún si Camela o Il Divo, y luego volcar la minicadena dentro del agua) y la inyección de aire en las venas (ya ha comprado varias jeringuillas y las tiene guardadas en el cajón de su mesilla de noche).

La cuestión es que lo hará. Lo tiene claro, y eso le hace más llevaderas las mañanas en el hospital con María José, las tardes en casa con *Jim* y con Andrea (la estudiante de estética que sustituye a Pilar en DePilar), las noches con su mujer. La frialdad de la vida es más soportable con el calor de la muerte. Con eso, y con el olor a canela de Cleopatra, que habla poco, que tuvo un padre obsesionado por el mundo egipcio que bautizó a sus hijos con nombres de faraones (Ramsés, Amenhotep, Akenatón, Nefertiti, Amenofis y ella misma, Cleopatra), y que siempre parece a punto de echarse a llorar y cuyo aroma permanece en la habitación horas después de que ella se haya marchado.

Mayo

Cleopatra huele a canela, pero no siempre. Por la mañana huele a sudor dulce, a sábanas que se enredan en las
piernas que no quieren abandonar el sofá cama tan temprano (las seis), a enfado con la vida, que empieza demasiado pronto y que la arroja a los brazos de una realidad fría y solitaria. A mediodía huele a sudor amargo, a
lejía, a amoniaco perfumado, a estropajo, a comida barata tomada de pie, en el metro o en el autobús, o apoyada en el banco de la cocina para no perder tiempo. Por
la tarde es cuando huele a canela. Y a cansancio, y a tobillos hinchados, y a huevos, y a leche, pero sobre todo a
eso, a canela. Pilar se pregunta alguna vez de dónde saca
tanta energía una mujer tan pequeña (1,54) pero nunca
se lo ha dicho a Cleopatra. Tampoco es que le mate la
curiosidad. De ella sabe más de lo que quisiera, lo que le
ha contado Amparo Monzó, la enfermera que se la recomendó. Llámela, aquí la conoce todo el mundo. Efectivamente, Cleopatra lleva varios años cobrando por dormir en el Sánchez Díaz-Canel. Dicho así, suena horrible,
pero es la verdad.

Tiene tres trabajos, y aunque le gustaría abarcar otros tantos, no da para más. Hasta las cinco, limpia en varias casas (a nueve euros la hora), más tarde prepara natillas en el restaurante de un amigo (trescientos cincuenta euros al mes) que le dio el trabajo por lástima, y por la noche acompaña a enfermos en coma en el hospital de crónicos (setecientos euros cada día 30). Podría pasar sin el último, pero considera que dormir por dormir es como tirar el dinero a la basura.

Los fines de semana se va donde su prima Yamilé, que le cobra cien euros por guardarle una habitación en su piso de la calle Alta, aunque no la usa nada más que una vez por semana (dos, como mucho), una casa ruidosa a más no poder (se oye el alboroto de jóvenes que salen por el barrio del Carmen y de coches que buscan aparcamiento) en la que Cleopatra casi no puede descansar. Gana unos dos mil euros, menos los cien que le da a su prima (y que a veces recupera haciéndole de canguro), menos lo (poco) que se gasta para comer. Ahorra sin parar, como una hormiguita. No es para ella. La mitad del dinero la envía a La Habana con familiares, amigos que viajan, conocidos que van de vacaciones y que también llevan libros, ropas, medicinas. Allí tiene a su madre (su padre, el fanático de los faraones, murió hace tres años sin conseguir su sueño de que lo embalsamaran), sus hermanos y, sobre todo, su hija de siete años, que vive esperando que un día su mamá la lleve con ella. ¿Cuándo, mami? Pronto, hijita. Cuando nació, su padre (el fanático) quiso que la llamase Isis porque su primera nieta merecía no un nombre de reina, sino de diosa, pero ella le plantó cara por primera vez en la vida y dijo no, papá, a esta niña me la van a llamar en cristiano. Se salió con la suya, por más que el padre insistió en que ella no era más que una enana putica que se había quedado embarazada y a saber de quién, y que a la niña la iba a criar él con su dinero y que la podía llamar como se le pusiese en los huevos. Por cabezonería la llamó Ra. Pero, con todo y con eso, Ramona María es el nombre que figura en el registro. Cleopatra la añora como no se podía imaginar cuando decidió venirse a España a buscarse la vida. Aquí no se puede, así no se puede. Era verdad.

Ella estudió comercio exterior, trabajaba en la aduana y por las tardes hacía de todo menos jinetear (eso queda para Nefertiti, que les salió descarriada) para conseguir algo de divisa. Sus hermanos hacían lo mismo (no jinetear, sino trabajar sin parar). Su padre vigilaba un garaje. Su madre cuidaba niños en casa. Así que cuando Ramona María tenía cuatro años (ya se vale, ya no da trabajo, ya no me necesita tanto), consiguió que su prima (no la que le guarda la habitación por cien euros, otra) le mandase una carta de invitación para visitar Valencia, y se quedó. Luego, el marido de una amiga de esta prima, que es periodista (no la prima, el marido), la ayudó a acelerar todos los trámites para que regularizase su situación y pudiese traer a Ramona María a vivir con ella, pero las cosas se complican. Lleva aquí tres años, está legal, nada se lo impide, pero en su afán por trabajar, por conseguir dinero, por ahorrar, por no perder tiempo, no encuentra un hueco para buscar piso, colegio, estabilidad. Va siempre corriendo de un lado para el otro, así que hija y madre viven separadas por dos mares, uno de agua y otro de lágrimas, el que derraman cada vez que cuelgan el teléfono en el locutorio. Bueno, no cuelgan.

La comunicación se corta en medio del suspiro de Cleopatra y del grito de Ramona María (maaaaaa), que nunca consigue terminar la palabra (miiiiiii). Por eso siempre parece a punto de echarse a llorar, pero a Pilar la historia de Cleopatra no la impresiona ni mucho ni poco. Mentira. La verdad es que la impresiona más bien poco. Ahora, en este momento de su vida, le parece absurdo que esté desperdiciando el tiempo de esa manera en lugar de estar cerca de su hija, de disfrutarla, de verla crecer.

La voz de su cabeza, que sigue dándole la lata, le dice sí, claro, mira tú qué fácil es ver la paja en el ojo ajeno. No es eso lo único que le dice (también le aconseja que sea más amable con Paco, que trate mejor a las enfermeras, que le suba el sueldo a Andrea y que saque tres veces a *Jim* a pasear y no dos), aunque, por suerte, ya ha dejado de dirigirse a ella en latín. Pero aunque lo hiciera, aunque le hablase en lenguas muertas, no conseguiría que Cleopatra le cayese bien. Le cae mal, como casi todo el mundo. No le gusta esa tristeza que tiene siempre. Le da rabia que esté todo el tiempo tan afligida por algo que tiene remedio, le parece una falta de respeto esa tristeza perpetua cuando el auténtico drama lo está viviendo ella y todas las demás madres que están en el hospital. ¿Echas de menos a tu hija? Pues tráetela, coño. ¿Te resulta complicado? Pues vete tú para allá, aunque sea de vacaciones. La voz protesta sí, pero a veces las cosas no son tan fáciles como tú te crees. Pilar está harta de oírla, pero no sabe cómo hacerla callar.

A veces se pregunta si no estará perdiendo la razón, pero se queda muda antes de contestar porque la respuesta le da miedo. Odiar al mundo es quizá la única manera de defenderse de él. ¿Defenderse de qué? Ya está otra vez la dichosa voz. Procura ignorarla, porque sabe de sobra que nadie quiere agredirla, que lo de María José no es culpa de nadie, ni siquiera suya, ¿cómo iba a ser culpa suya, qué culpa iba a tener ella del accidente si a esa misma hora estaba en casa tomándose el desayuno, aún en bata, viendo la tele? Mojaba galletas en el café con leche, se espantaba con las noticias sobre la masacre en una universidad de Estados Unidos (un chico había matado a treinta y dos personas en Virginia), se tocaba el pecho con disimulo por encima de la ropa buscando un bulto (María San Gil anunciaba que dejaba temporalmente la política porque tenía cáncer de mama con buen pronóstico), y en eso sonó el teléfono. Lo que dijeron prefiere no recordarlo. Pero lo sabe. Sabe que no hay culpables. El conductor del otro coche, quizá. Pero no. Tampoco quiere culparle a él. Quién sabe lo que le ocurrió para saltarse la mediana de la autovía. Puede que le reventase la rueda, que le fallase el motor, que se le bloquease el volante, que se confundiese de pedal. Era soltero, abogado, tenía cuarenta y dos años, dejó afligidos padres, tristes hermanos y apenados sobrinos y se llamaba Agustí Bayarri. Lo vio en la esquela. A Pilar le gustan las esquelas. Ha mantenido la costumbre de leerlas desde que un día supo que Fermín había muerto porque se encontró con su nombre en una.

Va a contárselo a María José (ya ves tú, yo que creía que estaba viviendo como un rey en Mallorca, con su mujercita sueca y su mansión de lujo, que un día salió en el *¡Hola!* en una fiesta rodeado de la *jet*, y resulta que tenía un cáncer de páncreas dolorosísimo y que vivió los últimos meses sabiendo que se moría, con lo que eso tiene que ser, menudo trago, eso no te lo imaginas ni tú, pobrecita mía, que estás aquí dormida y no te enteras de nada), pero no puede hacerlo porque el olor a canela anuncia a Cleopatra. ¿Cómo no va a caerle mal, si siempre la está interrumpiendo? Y eso que sabe que Cleopatra lo único que hace es llegar a su hora, y tratar de sonreír aunque tenga los ojos tristes, y darle conversación por ser amable, como hoy, que le pregunta:

—¿No hablaba usted francés?

—¿Yo? ¿Por qué? —le contesta, desconfiada.

—Porque aquí enfrente hay un chamaco que sólo habla francés y que no se entiende con ninguna enfermera.

—¿Y su familia?

—Parece que no tiene a nadie en España.

—¿Y tú cómo lo sabes?

—El pobre se la ha pasado llorando toda la noche, y esta mañana he estado preguntando.

—...

—Parece que tuvo un accidente en la calle y quedó tetrapléjico.

—¿Y?

—Y nada. Estuvo en el hospital y ahora le han traído aquí.

—¿Va a morirse?

—No.

—¿Va a mejorar?

—Parece que tampoco.

—¿Y por qué lo han traído aquí?

—Porque parece que no sabían bien adónde llevarle.

Pilar decide dos cosas: que no le va a contestar y que le irrita que use tanto el verbo parecer, como si no supiera las cosas de sobra, así que recoge su chaqueta y su bolso para marcharse. Pero Cleopatra insiste, tozuda.

—Entonces, ¿habla usted francés o no?

—*Mais oui, bien sûr que je parle français.*

—¿Entonces?

—¿Entonces, qué?

—Pues que por qué no va a hablar con él un poquito.

—¿Y qué quieres que le diga?

Cleopatra se encoge de hombros.

—Qué sé yo... Dígale lo que sea...

Pilar se acerca a su hija y le da un beso en la frente. Cleopatra sigue insistiendo.

—Es que usted no sabe cómo lloraba. —Se le llenan (más todavía) los ojos de lágrimas y se lleva las manos al pecho—. Me he ido con un pesar aquí adentro que no me lo he quitado en todo el día.

—...

—A lo mejor no tiene que decirle nada, sólo escucharle... Le hará mucho bien desahogarse.

—...

—No es más que un crío. Me erizo sólo de imaginar lo que tiene que estar pasando por su cabeza, sin su familia, sin poder moverse, sin entenderse con nadie... No dejo de pensar en él y en su madre, tan lejos...

—Mujer, Cleopatra... —Pilar no puede evitar reírse—. Nunca te había oído decir tantas palabras juntas en casi dos meses.

Cleopatra no le devuelve la sonrisa.

—Está en la 128. Párese y hable con él, se lo ruego. Vaya y pregúntele si necesita algo. Dele conversación, para que se sienta menos solo... Haga algo bueno, Pilar...

Pilar va como a todo en esta vida, a regañadientes.

Abre la puerta, que está entornada, y se encuentra a un niño tumbado en la cama, boca arriba, con el cuerpo entero claveteado como una diana. Tiene la cara vuelta hacia la ventana. Pilar le habla, en francés. Le dice hola, ¿qué tal te encuentras?, y él dice bien. Ella dice ¿cómo te llamas?, y él dice Goumba. Ella dice yo me llamo Pilar, ¿necesitas algo?, y él no dice nada. Ella repite la pregunta varias veces, dos, tres, quizá más, y él vuelve la cara hacia ella. Cleopatra tiene razón, sólo es un crío. Sus ojos enormes cobijan una mirada triste, asustada. A Pilar se le encoge el corazón y vuelve a repetir la pregunta, pero añade su nombre sin imaginarse que con ese gesto lo traerá cerca de ella como con un abrazo. ¿Necesitas algo, Goumba? A Goumba le resbalan dos lágrimas por las mejillas antes de hablar. Sí, por favor, señora, necesito... necesito que venga mi mamá. Pilar siente que se derrumba casi físicamente y busca la manera de decirle que sí, que lo hará, que le ayudará, que le cuidará, que le querrá, que será su madre si hace falta, sin tener que pronunciar una palabra porque un nudo que le aprieta la garganta le impide hablar y casi respirar. Mueve la cabeza de arriba abajo, varias veces. No quiere llorar. No se atreve a tocar a Goumba, aunque sabe que para él sería bueno que lo hiciera. Sale de la habitación, despacio. Odia a Cleopatra con todas sus fuerzas.

94

Paco, no. Paco no odia a Cleopatra. Al principio, le resultaba indiferente. Más que indiferente, invisible. Él no tenía ojos para nadie ni para nada que no fuese el cuerpo de la niña. Era como una obsesión, se pasaba las horas mirándola y el resto del tiempo recordándola, hasta que le vio una teta a Cleopatra y ese otro pensamiento pasó a formar parte de su cabeza y de su vida.

Ella se ducha todas las mañanas antes de salir a trabajar (Pilar tuvo que dar su consentimiento, por más que él le dijo que podía hacerlo). Lo normal es que cuando él llegue ella ya esté aseada, pero ese día Paco pudo dormir menos de lo habitual (que ya es poco) y se presentó mucho antes a la habitación de su hija. Cleopatra entreabrió la puerta del baño, que es pequeño y no tiene ventana, para que saliese el vaho (le encanta el agua casi hirviendo) y se desempañasen los cristales. Paco no le hacía caso porque estaba ensimismado peinando a María José y contándole que *Jim* había intentado montar a un perro en el parque cuando le había sacado a hacer pis (deberías haberlo visto, te habrías reído, ese perro tuyo nos ha salido un poco marica) pero Cleopatra se puso a canturrear en voz baja una canción que él no conocía y que resultó ser un tema salsero de Gilberto Santa Rosa (qué manera de quererte qué manera, qué manera de quererte qué manera, dónde podré vivir sino en tu cuerpo, tu cuerpo febril de lirio, oleajeeeeee incontenible del deseooooo que libere mi cuerpo del *hechisoooooo*) y él no pudo evitar sorprenderse (ella siempre estaba tan triste...), ni sonreír (ella cantaba tan mal...), ni girarse hacia el lugar del que provenía la voz, y entonces, por uno de esos resquicios de la vida, de la casualidad, y de la puerta, la vio (la teta). Cleopatra tenía el pelo envuelto en una toalla y el cuerpo desnudo. Por la postura, sólo podía verle la parte alta de la espalda, nada erótica, por otra parte, pero el espejo medio empañado le regaló la imagen borrosa del pecho de Cleopatra. ¿Cuánto tiempo hacía que no veía uno así de esa manera, generoso, inocente? Demasiado. Los de Pilar no lo eran; siempre traían consigo el recuerdo de una pelea, de un reproche, del favor que le hacía su mujer dejándole que los viera, que los tocara, que los tuviera cerca. Aún era joven. A su edad, había hombres (casi todos) que disfrutaban de la vida, de las mujeres, del sexo, pero él... ¿Cuándo había sido la última vez? ¿Podía recordarlo? Claro que sí. La tenía grabada, por ser la última y por ser desastrosa.

Fue en un club de carretera, cerca de Barcelona, de vuelta de Polonia (por las naranjas). Nunca lo había hecho antes, y no por falta de ganas, sino por miedo a que Pilar lo descubriera, a que le contagiaran ladillas o algo peor (una enfermedad), a que le pusieran droga en la Coca-Cola (no bebía otra cosa), a que le robaran el dinero, la carga, el camión entero, pero esa vez, esa única y última vez, se armó de valor y entró en el Ipanema, más que nada porque iba vacío y porque había varios camiones y algún buen coche aparcado en la puerta y eso le dio tranquilidad. Paro, me tomo un refresco, veo cómo es y me voy, se dijo, pero cuando se le acercó una mulata que llevaba un vestido negro con los bordes fucsias que le dejaban los pechos prácticamente al aire, le dijo que se llamaba Lorelay (con i griega) y le preguntó si quería algo más, se sorprendió (sí, de verdad, se sorprendió) al oírse decir:

—Bueno..., sí..., esto..., quiero... —Carraspeó—. Esto..., sí, que me la chupes.

Y ella le contestó:

—Pero claaaaaro, papito, por supuesto que te la chupo y cualquier cosa que se te ocurra. Lorelay no dice a nada que no. ¿No quieres nada más? Porque Lorelay lo hace todo, francés, griego... Y una amiga puede venir con nosotros. ¿No te gusta? Eso seguro que no te lo hace tu mujer... Pero Lorelay hace lo que quieras.

Paco, hombre de pocas aspiraciones, le dijo que no, que básicamente lo que quería era aquella mamada. Estuvo a punto de decirle que para él sería una novedad porque su mujer decía que *eso* (refiriéndose a su pene) le daba asco, que olía mal y le preguntaba si acaso era preciso hacerlo para consumar el matrimonio, pero le dio vergüenza y se mantuvo en silencio mientras Lorelay le llevaba a un cuarto frío y medio vacío (una cama, una mesilla, un lavabo). Una vez allí, le pidió que se quitara la ropa y que se lavara, le tumbó en la cama, se sentó junto a él y empezó a manosearle mientras le decía guarradas que no venían a cuento, porque estaba claro que a ella la polla de él le daba lo mismo, que no se moría de ganas de metérsela en todos los agujeros, que su leche

97

caliente se la traía al pairo, que todos esos ayyyy, hummm, síííí, ohhhh, eran fingidos y bastante mal, por cierto. No había manera. Paco le retiró la mano y le pidió que, por favor, se limitara a hacer lo que le había pedido en la barra (más por deseo de que se callase que de lo otro), pero tampoco hubo forma. Lorelay, que seguro que se llamaba de otra manera, le puso un condón. Paco apenas se dio cuenta porque no hacía más que pensar joder, pero ¿qué estoy haciendo?, y la imagen de Pilar se le venía a la cabeza una y otra vez, con un gesto extraño que no sabía si definir como amenazante o apenado. Total, que no culminó. Lo recordaba así (no culminó), quizá para quitarle ridiculez al momento que continuaba de la siguiente manera: la prostituta le dijo como quieras, pero me tienes que pagar igual; entonces, sin saber por qué, a él le entró la imperiosa necesidad de amortizar su dinero, así que le dijo bueno, pues enséñame las tetas, y ella se bajó el vestido hasta la cintura y se las enseñó, grandes, turgentes, bien plantadas, morenas. ¿Qué?, ¿te gustan? Él dijo la verdad (que sí). ¿Quieres tocarlas? Él dijo la verdad (que sí). Pues venga, tócalas. Las tocó y las encontró suaves, aunque algo sudadas. Dejó la mano ahí, quieta, unos segundos hasta que ella se subió el vestido y le dijo hala, vístete, que tengo más clientes. Paco se fue malherido en su amor propio, avergonzado, arrepentido, derrotado, triste.

Hasta que le vio el pecho a Cleopatra no había vuelto a pensar en el cuerpo de una mujer, ni siquiera en el de Pilar. Bueno, en el de Pilar menos que en ninguno, porque ella no tenía más cuerpo que la boca y no es que la usara para nada sexual, sino para quejarse por todo lo humano y lo divino, especialmente si tenía que ver con él.

Paco creía (de verdad) que quizá no había sido sólo culpa de Pilar, que a lo mejor él había tenido algo que ver en el hecho incuestionable de que su vida amorosa fuese un desastre. ¿Y si había sido demasiado brusco? ¿Y si no había esperado lo suficiente para pedirle, por ejemplo, que cambiasen de postura? Quizá Pilar no estaba preparada para dejar el misionero cuando él lo sugirió, o tal vez él no era lo bastante cuidadoso con su higiene como para que ella quisiera acercarse ahí abajo, o puede que le avergonzase mostrarse desnuda delante de él o hablar de sus fantasías de vez en cuando (eres un cerdo, ¿cómo puedes imaginar algo así?). Sí. Seguramente ella habría sido más feliz si él hubiese sido de otra manera, más paciente, más convencional.

Si hubiese sido otro, si hubiese sido Fermín. Me cago en tus muertos, Fermín. Al principio, el exabrupto era por celos. Luego, por lástima de su vida. Me cago en tus muertos, ¿por qué no te la llevaste, cabrón?

¿Y él? ¿Habría sido él más feliz si Pilar hubiera sido distinta, si no hubiese sido Pilar? No lo sabía. O mejor dicho: no lo supo hasta que le vio el pecho a Cleopatra. Era redondo, pequeño, algo caído, y estaba rematado por un pezón grande, oscuro, rugoso, que, de repente, tuvo ganas de meter dentro de su boca. ¿Cuánto duró, ese momento? No lo sabe. Poco, porque acabó demasiado pronto. Mucho, porque tuvo tiempo de imaginarse acariciándolo con suavidad, recorriéndolo con la yema de los dedos, abarcándolo con la palma de su mano. Paco lo lamió, lo besó y lo mordisqueó mientras Cleopatra dejó caer la cabeza hacia atrás y enredó los dedos entre su pelo y luego buscó la boca de él para besarle, un beso largo, cálido, húmedo, lleno de promesas. Ay. Paco noto una repentina erección que le avergonzó. Soltó la mano de su hija. Se levantó. Fue hacia la ventana. Quiso abrirla, tirarse, terminar con todo en ese vergonzoso instante, pero de nada habría servido porque no estaba lo suficientemente alto como para matarse del golpe, así que tiene que conformarse con vivir con su indignidad, y con mirar de reojo la puerta del cuarto de baño cada vez que ella se ducha por si acaso tiene la inmensa suerte de que un día, cuando menos se lo espere, vuelva a quedarse entreabierta. No. Definitivamente, Paco no odia a Cleopatra.

María José no conoció el odio hasta que cumplió los quince años. O quizá no los había cumplido todavía. Pero era jueves, eso seguro, porque los jueves ponían en la tele «Norte y Sur», una serie que le gustaba cantidad, y se quedó sin ver el día en que Joaquín la besó en la boca y ella le odió con todas sus fuerzas. ¿Por qué le odió, si había pasado años (miles de años) soñando con la boca de Joaquín sobre la de ella? Pues precisamente por eso, porque lo había soñado y la realidad tuvo poco que ver con su sueño. En su fantasía, imaginaba que Joaquín la besaba porque la quería, porque se había dado cuenta de que sin ella no podía vivir, porque había comprendido que las demás no valían la pena y que era ella la única con la que quería estar, en ese momento y para siempre jamás. Pero la realidad fue tan diferente que no tuvo más remedio que odiarle. Un poco por todo lo que llevaba sufrido, un poco por lo que le quedaba por sufrir, un poco por el beso, un poco por la falta de cariño, un poco por lo de «Norte y Sur».

Su padre llamó a la puerta y la abrió muy despacio. ¿Puedo pasar? No. ¿Estás llorando? No. ¿No vas a ver esta noche «Norte y Sur»? No. Si me hubieras avisado, te lo habría puesto a grabar. Pero ¿cómo iba a decírselo, si ella no sabía que justo esa tarde Joaquín iba a darle un beso? Orry Main y Madeleine Fabray también se besaron en el único capítulo que se perdió de toda la serie. No se besaban mucho, porque el suyo era un amor imposible. El de ese episodio fue un beso largo, suave, dulce, tierno. Orry cerró los ojos (siempre lo hacía cuando la besaba) en un gesto que al mismo tiempo era de alegría (por el beso), de tristeza (porque el suyo era un amor imposible), de placer (por el beso) y de angustia (porque el suyo era un amor imposible). Madeleine también cerró los ojos (siempre lo hacía cuando le besaba), en un gesto parecido pero diferente porque ella se debatía entre el amor que sentía por Orry desde que le conoció y el sentimiento de culpa porque, aunque su marido era un ser despreciable, ella era una mujer casada. Pero María José no vio ese beso porque se encerró a llorar en su cuarto (tan hecha polvo, tan humillada, que no quiso ni ponerse al teléfono cuando la llamó Marga), así que sólo pudo pensar en otro, en otro beso, en el de ellos.

¿Cómo fue? Fue pegajoso, húmedo, rápido, mucho peor que los besos fríos que le devolvía la fuente del patio del colegio cuando ella bebía agua después de él. Olía a cerveza. Sabía a tabaco y un poco a vómito, y en su cabeza, después, le vino un sabor mucho peor, a derrota: a segundo plato, a te beso a ti porque no puedo besar a otra, a me da igual que seas mi amiga, a me da lo mismo que mañana no me acuerde de nada, a me importa un pito si te duele, a si tú me rechazas iré y besaré a esa que está ahí enfrente comiendo pipas (Marga), esa que nos mira con cara de pero qué fuerte, qué fuerte, es que no me lo puedo creer, ¿la ves?, pues a ésa.

Quiso cerrar los ojos, en parte para no ver lo que estaba pasando y en parte porque le parecía más romántico, pero sólo consiguió unos segundos de oscuridad e inconsciencia, porque la boca de Joaquín la devolvió a la realidad descortésmente. María José, que entonces no sabía que con el tiempo acabaría harta de los besos de Joaquín, y no sólo eso, sino que además los encontraría insípidos, pensó dos cosas: una, que no sabía qué hacer con su propia lengua porque la de Joaquín lo ocupaba todo, y dos, que aceptaba su boca como los mendigos aceptan las limosnas. María José, que entonces ignoraba que los besos de Joaquín nunca mejorarían y que años más tarde su madre también oiría a alguien dentro de su cabeza, oyó una voz que la animaba a dejar el melodrama y a disfrutar del momento, pero a ella le pareció que aquello era totalmente indisfrutable: Joaquín le sobó las tetas y le restregó el paquete por encima de la falda sin dirigirle la palabra ni una sola vez. No la había mirado, no le había hecho ninguna caricia en las mejillas, no la había abrazado. María José se preguntó qué vería cualquiera que los sorprendiese en ese momento, y la respuesta la espantó. Él parecía un perrito frotándose en un cojín (un almohadón más bien), y ella, una mojigata que no movía ni un músculo y, al mismo tiempo, una puta que se dejaba hacer todo aquello en un parque a la vista de todo el mundo. Como para no ponerse melodramática.

¿Cómo empezó todo? ¿Cómo llegaron hasta ahí? Empezar, empezar, empezó cuando subieron juntos en el ascensor y ella cayó loca de amor por él, pero el beso en concreto comenzó a gestarse esa misma tarde. Marga y ella habían quedado para estudiar, pero a Marga la física se le atragantó y convenció a María José para que bajasen al parque a tomar el aire y a comer pipas (venga, que es pronto). Allí se encontraron con Joaquín y unos amigos, que venían de hacer la típica competición adolescente de a ver quién bebe más cerveza, que la mayoría de las veces se solapaba con la de a ver quién mea más lejos. Cuando le vieron, Joaquín andaba cabizbajo porque no había ganado ninguna de las dos (aunque se había esforzado) y porque físicamente no podía levantar la cabeza, y María José se dispuso a hacer lo que mejor le salía cuando estaba con él (animarle, jalearle, aplaudirle, reírle las gracias, etcétera). ¿Seguro que no te han hecho trampa? ¿Seguro que no has bebido más, que no has meado más lejos?¿Seguro? Joaquín se reía con una risa floja y tonta, perdía el paso de vez en cuando y daba la sensación de estar a punto de echarse a llorar. Parecía triste, pero en realidad sólo estaba borracho.

—Dime qué puedo hacer para que te sientas mejor —dijo María José.

—Nada —contestó Joaquín.

—No, de verdad, dime qué puedo hacer. —Él hizo un gesto con la cabeza que equivalía a repetir nada, y María José insistió—: Hombre, no seas tan negativo, seguro que algo habrá...

Joaquín la miró fijamente (o eso intentó), levantó el dedo índice, la señaló con él, bajó el dedo índice, señaló hacia el suelo, volvió a mirarla fijamente (o eso intentó), acercó su cara a la de ella y la besó. Joaquín tenía entonces catorce años, se había cortado el pelo y le había cambiado la voz. Ya no le veía tanto como antes. Por desgracia (para ella), él seguía en el colegio mientras María José pasó al instituto. Menudo drama. No le gustaba, el instituto. No pegaba en él. En realidad, sentía que no pegaba en ningún sitio, pero en el colegio, al menos, todos estaban acostumbrados a verse las caras, y estaba Joaquín. El instituto, sin embargo, era un mundo nuevo, diferente, más amargo sin Joaquín para dulcificarlo. No le pasaban ni una.

El primer día que le tocó clase de gimnasia se le pegaron las sábanas (como siempre) y no pudo prepararse la bolsa de deportes. Da igual, le dijo a su madre, me voy con el chándal puesto y así gano tiempo. Sí. Tiempo ganó, porque entró en clase justo cuando el profesor de francés se disponía a cerrar la puerta, pero lo que más ganó ese día fueron miradas burlonas, gestos despectivos, bromas a sus espaldas. De reojo vio cómo sus compañeros se daban codazos unos a otros o se tapaban la nariz cuando ella pasaba, total, porque el olor a sudado se le quedó pegado a la camiseta el resto de la mañana. Pues no huele tanto, le dijo Marga, y eso que para evitar el desastre intentó convencerla para que hablase con la profesora de gimnasia, que se llamaba Alicia y que había sido gimnasta profesional antes de dedicarse a la enseñanza.

—Seguro que te deja que no des la clase si no puedes cambiarte de ropa.

—Pero es que sí llevo ropa.

—Ya. Me refiero a *otra* ropa.

María José no comprendía dónde estaba el problema, así que no habló con la ex gimnasta profesional y no le dijo a nadie que no tenía nada más que ponerse después de saltar el potro, hacer abdominales y correr el equivalente a dos kilómetros dando vueltas alrededor del patio. Se estuvieron burlando de ella hasta el día en que Rosa Nieto se olvidó de ponerse las bragas después de ducharse y tuvo que quedarse sentada toda la mañana porque cada vez que se movía de la silla le levantaban la falda para verle el culo. María José le agradeció a Rosa aquel olvido más de lo que nadie pudo imaginarse jamás, pero siguió sin encajar en el instituto. Casi todas eran guapas. La que no era guapa era lista. La que no era lista era graciosa. La que no era graciosa era rica. La que no era rica era guapa. Era un círculo vicioso que sólo se rompía con unas pocas que eran varias cosas a la vez (Marga, por ejemplo, no era rica pero sí era guapa, lista y graciosa, pero como era su amiga no se lo tenía en cuenta), y de remate, muchas de ellas se enrollaban con Joaquín cada fin de semana y lo comentaban sin reparos.

—¿Qué reparos van a tener? —le preguntaba Marga.

—¿Y yo qué sé qué reparos?..., pero alguno deben de tener, porque no es más que un crío.

—Bueno, pues entonces la que más reparos debería tener eres tú, tía.

—Pues que no lo digan, por lo menos. Que tengan vergüenza y se callen la boca hasta que se líen con uno de su edad.

—Eso es lo que tendrías que hacer tú.

—¿Callarme la boca?

—No..., bueno, eso también. Pero digo lo otro, buscarte a otro.

María José no siguió el consejo de Marga, porque no quiso y porque no supo. Las cosas no eran tal como ella las veía, y no es que María José estuviera ciega. Sólo miope. Por eso, la noche que se perdió el beso de Orry y de Madeleine acabó viendo las cosas distintas de como habían sido. ¿Cómo? Pues haciendo caso a la voz que no había sabido escuchar aquella tarde. Disfrútalo, le decía la voz mientras Joaquín se frotaba contra ella sin dar demasiadas muestras de saber lo que estaba haciendo. Disfrútalo. Disfrútalo. Y así fue cómo horas después, cuando las lágrimas ya se habían secado, cuando el sabor amargo de la derrota se le había ido de la boca, cuando la casa estaba en silencio y se oía el rítmico ronquido de su padre al otro lado del pasillo, cuando la sábana bajera se había salido del colchón porque María José no había parado de dar vueltas, Joaquín volvió a poner sus labios en los labios de María José y volvió a meterle la lengua hasta la garganta, y volvió a pegar su cuerpo al de ella, y volvió a dejar la mano quieta encima de su teta, pero esta vez, en su recuerdo, nada fue patético ni humillante ni triste.

¿Por qué? Pues porque podría haber sido otra, como tantas veces, y lo que es peor, porque podría haber sido otro el dueño de su primer beso, y eso sí que no se lo hubiera perdonado nunca. Se reconcilió con Joaquín, dulcificó ese recuerdo, vale, de acuerdo, ni se había dado cuenta de que ella era ella, y de haberlo sabido igual la habría dejado pasar de largo, y al día siguiente no se acordaría y, en caso de acordarse, se arrepentiría de haberse besado con ella, y estaba borracho y no la amaba pero, como diría Billy Wilder, nadie es perfecto, y al fin y al cabo, ese beso también podía significar el final de la extraña amistad que había conseguido tener con Joaquín a base de estrategia y paciencia, sí, pero también era posible que fuese el principio de algo, de otra cosa, de otra relación que no se limitase a espiarle, a oírle hablar de fútbol, de tías buenas y/o de ropa de marca para mantener su atención durante más de tres segundos.

Tardó en dormirse, esa noche, y cuando lo consiguió no soñó con Joaquín.

Pilar cree que no sueña cuando duerme, pero está equivocada. Sí tiene sueños, lo que pasa es que no los recuerda. Si se lo contase a la sicóloga que de vez en cuando pasa por la habitación a ver cómo está, le diría que probablemente sueña con su hija en una de estas dos direcciones: o hacia atrás, cuando estaba bien, o hacia adelante, cuando ya esté muerta, y que ambos recorridos son tan dolorosos (uno por inalcanzable, el otro por irreparable) que cuando se despierta no se acuerda porque su mente trata de protegerla, pero cuando la sicóloga le pregunta qué tal, Pilar siempre le dice aquí estamos, y luego guarda un silencio incómodo y maleducado hasta que Isabel Jumillas (lleva su nombre bordado en la bata) no tiene más remedio que salir de la habitación. La sicóloga sabe que Pilar es una bomba que tarde o temprano tendrá que explotar. Pilar también lo sabe, y se ha propuesto retrasar ese momento todo lo que pueda. Por eso se mantiene callada.

Últimamente, no habla con Paco ni siquiera para martirizarle, y eso que hasta la fecha ha sido su mejor método para aliviar la tensión por el exceso de clientas o por la falta de clientas o por las peleas con María José.

Ahora ya no. Ya no le sirve. Ahora, la entristece. Recuerda que una vez leyó un reportaje sobre el amor en un periódico y le llamó la atención una frase de Unamuno para definirlo (si le veo la pierna a mi mujer ya no siento nada, pero si a ella le duele la pierna, a mí me duele la mía), y se pregunta si no querrá a su marido, después de todo, porque de repente el dolor de él tiene la capacidad de hacer más duro el dolor de ella, como si en realidad ella sufriese por la suma de los dos.

Le ve tan triste, tan abatido, que no encuentra motivos para increparle por más que haya descubierto unas gotas sospechosas en la taza del váter (no sube la tapa), por más que el banco de la cocina esté lleno de hormigas (olvida limpiar los restos de la merienda), por más que no se acuerde de comprar leche y ella tenga que desayunar magdalenas con un vaso de agua (porque tampoco se acuerda del zumo y ella no toma café). Le duelen las piernas. Las cuatro.

No sabe cómo enfrentarse a esa situación, a esa ternura que es nueva para ella, así que decide que lo mejor es mantenerse alejada de Paco, no verle, no hablarle. Tiene la excusa perfecta porque apenas coinciden. Por la mañana, él sale temprano, y por la noche, ella llega tarde. No se dicen nada porque ya lo saben todo, o eso piensan.

Pilar sabe todo lo que hace Paco. O eso supone. Para Pilar (que tarda en conciliar el sueño pero luego no hay quien la despierte), Paco se ha levantado a las seis y media de la mañana, se ha metido en el cuarto de baño medio dormido, ha hecho pis, se ha lavado la cara y los dientes, se ha enjuagado la boca y ha escupido en la pila, se ha quitado el pijama y lo ha dejado detrás de la puerta, ha descolgado el chándal y se ha vestido, ha ido a la cocina y ha puesto la cafetera, ha mirado al perro, ha jugueteado con sus orejas y le ha dado los buenos días (*Jim, Jim,* buenos días, *Jim,* mira que eres formal), le ha colocado la correa y le ha sacado a pasear mientras se hacía el café. ¿Y después? Desayuno, ducha, bar para recoger el bocadillo que se comerá a mediodía, saludos por doquier, ¿qué tal?, bien, parada de autobús, mañana con su hija. Pilar se pregunta qué hará allí todas esas horas, y se figura que, al contrario que ella, le dará palique a todo el mundo, a las enfermeras, a la profesora de física médica, a su hijo el cura. Pilar piensa que Isabel Jumillas no habrá tenido que tirarle de la lengua a Paco para que le cuente cómo está (mal, doctora, peor que mal...), y en parte siente envidia por esa capacidad suya de verbalizar cualquier cosa que le pase por la cabeza porque entiende que eso le hace bien, que la sicóloga tiene las herramientas para conseguir que él se sienta mejor, más tranquilo, más resignado con la suerte que ha tenido su hija.

Lo que no sabe es lo equivocada que está. Paco no ha hablado nunca con Isabel Jumillas, ni con la profesora de física médica, ni con su hijo el cura. De hecho, a sus espaldas, madre e hijo critican su pésima educación, su falta de respeto y de valores cristianos porque nunca les da conversación ni les pregunta cómo están, y encima no reza. Son tal para cual, mamá, él y su mujer. Dios los cría y ellos se juntan, hijo mío.

Si Pilar supiera, le dolería la pierna. Pero Pilar no sabe. Pilar no sabe que Paco no se levanta a las seis y media sino a las seis en punto y que no lo hace antes porque no tiene adónde ir a esas horas, que no se mete en el cuarto de baño medio dormido sino totalmente despejado porque no pega ojo en toda la noche, que ha hecho pis (eso sí), pero que antes de lavarse la cara y los dientes se ha quedado mirando en el espejo y ha pensado que ese día su niña tampoco podrá ver su reflejo y se ha echado a llorar sabiendo que llorará varias veces más a lo largo de esa jornada que no ha hecho más que empezar, que no se quita el pijama sino que se pone el chándal por encima, con dejadez, y que en la cocina llora por segunda vez cuando el perro sale a su encuentro, y que es el perro el que le mueve la mano con el hocico insistentemente para que le acaricie y que al final le acaricia pero no le da los buenos días, sino que le dice con mal tono *Jim*, coño, qué pesado eres, y que luego se arrepiente y (entonces sí) juguetea con las orejas (una blanca y otra blanca y negra) y le dice *Jim*, *Jim*, buenos días, *Jim*, perdóname, es verdad que eres pesado pero, ay, qué guapo eres, y el perro se pone a dar saltos como un loco, así que no puede ponerle la correa hasta que se meten en el ascensor y *Jim* se queda sin escapatoria.

Pilar no sabe que Paco no siempre toma café porque la mayoría de las veces se le olvida ponerlo en la cafetera y las demás se entretiene demasiado en el paseo, así que se bebe un vaso de leche apresurado antes de meterse en la ducha, rápida, y de salir de casa, cansado, y de montarse en el autobús, triste, y de pasarse la mañana con su hija, aliviado, al fin, aliviado por verla, por saber que no ha muerto (todavía), que aún puede tocarle la mano, hacerle cosquillas en los pies, leerle las noticias del periódico, decirle que hace buen tiempo o mal tiempo, que llueve o que hace sol, contarle un chiste (van unos a una terapia de grupo y la terapeuta les dice que cuenten qué son y por qué son lo que son, y uno va y le dice yo soy arquitecto porque lo que más me gusta es hacer edificios, y otro dice pues yo soy médico porque lo que más me gusta es curar a las personas, y la única chica del grupo dice yo soy lesbiana porque lo que más me gusta son las tías, y el último dice yo iba a decir que soy fontanero pero acabo de darme cuenta de que soy lesbiana), de susurrarle al oído que espera que la profesora de física médica no haya dado clase a ninguno de los doctores de ese hospital porque es una bruja y de una bruja no puede salir nada bueno, y cosas por el estilo. ¿Cómo no va a sentirse aliviado? Está con ella. Puede hablarle. Todavía. Así que el día que fue Isabel Jumillas y le dijo ¿qué?, estoooo (miró sus informes buscando su nombre), y le repitió estoooo, Paco, ¿cómo te sientes?, y Paco le dijo que bien, que ahora, en ese momento, se sentía bien porque estaba al lado de su hija, la sicóloga le apretó el brazo con complicidad y le dijo llámame cuando me necesites, y ya no volvió más por la habitación porque supo que Paco le estaba diciendo la verdad.

Pero todo esto no lo sabe Pilar, por mucho que ella crea que lo sabe todo y viva según estas cuatro verdades indiscutibles (basadas en esa certeza): todos te van a traicionar, todos te van a utilizar, todos te van a abandonar, la vida entera es una mierda.

De Fermín tampoco lo supo todo. De Fermín supo lo que quería saber, lo que le convenía, y a lo demás hizo oídos sordos. Eso es lo que le cuenta a María José, ahora que han pasado los años y es capaz de percatarse de aquel error (no ver lo que tenía delante de los ojos). Cuando se quedan solas, le cuenta que Fermín y ella fueron novios en secreto durante nueve meses. Le cuenta que él la recogía todas las tardes cuando ella terminaba sus clases en la academia, y a veces antes porque ella empezó a faltar, que le prometía llevarla a la playa cuando hiciera calor, que paseaban por el centro y que él le pasaba el brazo derecho por encima del hombro y que con la mano izquierda (casi siempre) aguantaba un cigarro Celta Largo Extra que fumaba a caladas cortas y lentas, para hacerlos durar más. Le cuenta que entonces a ella le parecía que saboreaba cada cigarrillo, pero que ahora se da cuenta de que aquellos Celtas eran el anuncio de la sueca con la que se casó tiempo después. ¿Por qué? Pues porque costaban seis pesetas cada paquete y él, que no tenía ni para pipas, se compraba uno todas las tardes.

Eso era lo que debería haber visto: que Fermín no era más que un fraude, que aparentaba ser duro cuando era tierno, que presumía de gamberro cuando sentía pánico por los grises, que fingía ser moderno cuando lo que quería era tener una vida convencional, una mujer que le esperase en casa, hijos, un coche, un televisor, y si no lo tenía que pagar él, mejor todavía. Lo normal. Si hubiera sido lista, lo habría visto. Pero no. No vio nada de nada, más que la mano de él apoyada en el hombro todas las tardes. Mira que eres descarado, le decía cuando la rozaba más de la cuenta. Y él contestaba pero no seas así, mujer, que éstos no saben si estamos casados o no. Sí, casados vamos a estar, como si no se notase que yo soy una cría. Una cría para lo que quieres.

Eso era verdad, porque para lo que quería se volvía una mujer. Una tarde, Fermín se presentó en la puerta de la academia con un Renault 4 que le había prestado un amigo, y ella fue lo suficientemente mujer como para subirse aun imaginando lo que pasaría después. También entonces estuvo equivocada.

¿Qué pasó? Pasó que dieron una vuelta por la ciudad, por la calle de la Paz, por la calle San Vicente, por la calle de las Barcas, por Navarro Reverter, y por otras cuyo nombre desconocía. Pasó que ella se agarraba muy fuerte al bolso, como si fuera el bolso lo que Fermín le iba a robar esa tarde, y que salieron de Valencia, que llegaron a la Albufera cuando el sol se ponía sobre los arrozales (qué bonito, ¿verdad, Pilar?), que Fermín la miró mientras conducía y le dijo esta tarde es perfecta, con esta luz, contigo tan cerca, los dos solos, y ella contestó que sí moviendo la cabeza. Pasó que la voz no le salió del cuerpo cuando Fermín paró el coche entre los pinos y la miró y le dijo (otra vez) que la tarde era perfecta, que la luz era perfecta, que su cara, que su boca, que sus pechos, que su cintura, que toda ella era perfecta, que la vida lo era (perfecta) desde que estaban juntos, que ella hacía que él quisiera ser un hombre más bueno, más noble, mejor, para darle a ella todo lo que merecía, que era mucho, que era todo, que era el mundo entero a sus pies.

Y Pilar, callada. Y Fermín, sin dejar de mirarla y sin dejar de hablar porque estaba nervioso, y Fermín, cuando estaba nervioso, no podía mantener la boca cerrada, así que le dijo (otra vez) lo guapa que era, que quería pasar la vida entera a su lado, que quería hacerla feliz, que necesitaba hacerla suya, que la quería. Hoy Pilar piensa que era mentira, que todo fue una estratagema para vencer su resistencia porque él ignoraba que le quería tanto, pero tanto, que se había rendido desde el primer momento, y es precisamente eso lo que más le duele.

—Yo se lo habría dado todo de todas formas —le dice a María José—. No hacía falta que me mintiese de esa manera, que me hiciese creer que me amaba cuando en realidad quería lo que quería.

¿Qué quería Fermín? Desabrocharle la blusa y el sujetador, besarle los senos, acariciárselos con los dedos y luego con los labios; pedirle que se quitase la falda, bajarle las medias, dejarla con las bragas puestas mientras él se desabotonaba la camisa con las manos temblorosas por la urgencia y se arrancaba los pantalones, los calzoncillos, los calcetines y los zapatos con un único movimiento. Pilar, entonces, no pensó nada porque la desnudez de él lo llenó todo.

Hoy, el recuerdo es diferente. Sí, está el recuerdo de sus hombros anchos, redondos y suaves, suaves como su pecho, peludo y suave, suave como su sexo, que era duro pero que era suave. Tócalo, le pidió Fermín, y ella llevó hasta allí la mano, turbada pero segura de que era ése el camino que quería recorrer, de que quería tocarlo, y sentirlo, y hacer cualquier cosa que él le pidiera, porque le amaba. Ese recuerdo está. Y está la sorpresa en los ojos de él, esa sorpresa, cuando ella le sostuvo la mirada, porque quizá Fermín esperaba que ella apartase la vista, que se mostrase tímida, torpe, asustada, y se encontró con una mujer dispuesta, abierta, acogedora. Y está también su boca, sus manos, sus dedos, la vena de su frente, palpitante, sus labios moviéndose sin palabras, como diciendo ay, ay, ay, Pilar. Ay. Y está ese momento, ese instante de vacilación, y después su abrazo silencioso, cálido. Así no, Pilar.

—¿Cómo? —preguntó ella, incrédula.

—Así no —repitió—. Tú no te mereces esto, así, de esta manera... No te mereces que pueda venir un guarda, o quien sea, y nos detenga por escándalo público. No te mereces esta incomodidad, esta prisa, esta vergüenza —negó con la cabeza—. No te la mereces.

—¿Es que no te gusto?

—No, no, no..., por Dios, no pienses eso, ni se te ocurra pensarlo... Me gustas tanto..., me vuelves loco. Me paso el día pensando en ti, me paso la noche imaginándote, soñando con esto que estamos haciendo...

—¿Tú has traído aquí a otras mujeres?

Fermín agachó la cabeza, avergonzado por la franqueza de ella, y decidió corresponderle.

—Sí.

—¿Y con ellas has llegado hasta el final?

—Sí.

—¿Y por qué conmigo no quieres?

—...

—¿No ves que me estás humillando?

—...

—¿Por qué conmigo no quieres? Dímelo.

—Porque a ti te quiero..., porque quiero que contigo sea diferente.

—¿Me quieres, dices?

Fermín dijo que sí, con un gesto. Eso hizo, afirmar con la cabeza. Ese recuerdo está. Pero hoy está también la decepción: no lo repitió, no fue capaz de repetir sí, te quiero, Pilar, aunque fuese mentira. Lo que sí pudo hacer fue abrazarla fuerte, muy fuerte, y frotarse contra su vientre hasta que eyaculó. Luego le pidió perdón, le dijo que se pusiera la ropa, se vistió y condujo en silencio has-

116

ta que la dejó en la parada del autobús. Pilar pensó entonces que estaba avergonzado. Hoy cree que esperaba otra cosa de ella, tal vez que le apartase de la cabeza esa idea absurda de respetarla, esa pretensión idiota de quitarle la virginidad en una cama y no en el asiento de atrás de un cuatro latas.

Mira a su hija. Le aparta un mechón de la frente que se le ha salido de la horquilla.

—¿Tú qué crees? —le pregunta. Espera un instante—. Nada. ¿Qué vas a creer, pobrecita mía?

No volvieron a hablar de aquella excursión. Se limitaban a pasear cogidos del brazo donde nadie los conocía, a meterse mano con disimulo en el cine mientras en la pantalla Marisol cantaba la vida es una tómbola, tom, tom, tómbola, de luz y de coloooor, de luz y de coloooor, a sentarse en cualquier terraza y ver pasar la tarde con una cerveza (para él) y un café con leche (para ella). Pilar, que creía estar enamorada de él desde el primer día, se dio cuenta de que había estado equivocada porque tuvo que pasar todo aquel tiempo (nueve meses) para poder decir sin temor a equivocarse que le amaba, que de verdad le amaba. Lo del principio fue, seguramente, una ilusión, una atracción física, una necesidad de afecto, de que la quisieran, de que él la quisiera (en concreto), pero ahora que estaba segura de amar a Fermín porque a pesar de todos los pesares sabía que era un buen hombre, un hombre bueno atrapado en la mala suerte, un perdedor que no se resignaba a vivir en la pérdida, un luchador que ocultaba la batalla que se libraba en su interior, un tipo tierno que observaba a los recién nacidos cuando creía que nadie le miraba, que lloraba en silencio cuando iba a llevarle flores a su hermano muerto, que quería hablar con los padres de ella para explicarles que nada de lo que decían de él era cierto, que dejó de ser un holgazán para trabajar en una chocolatería de la plaza de la Reina, ahora que ya lo sabía, no podía evitar quererle de verdad.

Le quería a pesar de sus cambios de humor, a pesar de que casi nunca podía prever de qué ánimo se lo encontraría, a pesar de que era un machista que la única ventaja que encontraba en que ella estudiase es que les servía de pretexto para encontrarse a la salida porque no veía con buenos ojos que trabajase después, a pesar de sus sospechas sobre otras mujeres con las que se desfogaba de aquel respeto que le impedía rematar la faena dentro de un coche prestado. Le quería. Tanto. Tanto que, cuando una tarde le contó que había pensado irse a Mallorca a probar fortuna con la hostelería, ella sintió que se le abría un agujero en el pecho, un agujero profundo y grande que la traspasó, que la dejó sin respiración, que la paralizó de puro terror, un agujero por el que se le coló un frío, un frío tan frío que la incapacitó para volver a sentir calor nunca más en la vida. Empezó a gestarse su final sin que Pilar se dignase darse cuenta. No quiso. Lo que quiso fue creerle. Quiso creer que volvería al cabo de un año, quizá dos. Quiso entusiasmarse con el ejemplo de Toni *el Paleta*, que en un verano ganó lo suficiente para montar una empresa de fontanería y pequeñas reformas con su primo Ramón *el Mudo*. Quiso confiar en Fermín, en su verdad. Ganaré dinero, volveré, me casaré contigo, te querré toda la vida. Eso fue lo que le prometió, y ella, como le quería, no tuvo más remedio que creerle.

Poco antes de marcharse, fue a buscarla con el mismo R4 prestado de aquella vez (la innombrable). Nada más subirse al coche, él la miró a los ojos y le dijo que esa tarde también le había dejado las llaves de su casa. Le contó que su amigo estaba trabajando, y que la mujer y los hijos se habían marchado en autobús al pueblo (Campillo de Altobuey, Cuenca) para enterrar al abuelo de ella.

—Mi amigo me ha dicho que, si llevamos sábanas, podemos usar su cama.

Pilar no dijo nada. Fermín arrancó el coche.

—He cogido unas de mi casa. Si quieres, vamos.

Fermín creyó que ella iba a mantenerse callada, pero también estaba equivocado.

—¿Quieres? —repitió—. Porque, si quieres, vamos —repitió—. No hace falta que las usemos, si no quieres. Pero si quieres, vamos.

Hubo un silencio que a él se le hizo largo y a ella corto.

—Vayamos —dijo Pilar, al fin.

Ese recuerdo también lo tiene fresco. Y lo tiene fresco porque casi todos los días algo lo trae a su memoria. Algo, lo que sea. Una pareja que discute y luego se besa, una canción, un anuncio en la tele, el comentario de una clienta, una mujer que empuja un carrito de bebé, un detergente de oferta, un perro que cruza la calle, un coche que se para en un semáforo, Paco, que le dice que se va a trabajar, un olor dulce, el silencio. Cualquier cosa le devuelve a la cabeza lo que se dijo, lo que se calló, los besos, los suspiros, las promesas, y esa mirada, la mirada de Fermín, sorprendida otra vez, agradecida esta vez. Le preguntó si le había hecho daño, al terminar. Le dijo que no, y le dijo la verdad. No le dolió, no le dolió el do-

lor físico, aunque entonces ya sabía que esa tarde le acabaría doliendo el resto de su vida. Pero dijo la verdad:
no le dolió. Pensó que podría soportarlo porque no imaginó que el dolor sería tan grande.

El dolor de Paco también es grande. Pero no el dolor actual, sino el de toda la vida. Paco ha sufrido aunque no se haya dado cuenta y ahora le ha venido todo de golpe, zas, como un mazazo que le ha derribado. Le duele lo de hoy, pero también le duele lo de ayer, lo de hace un año, lo de hace sesenta.

Hay gente que es feliz de forma inconsciente. Paco, no. Paco ha sido un hombre triste desde que nació, sólo que no se había dado cuenta antes porque le parecía que eso era lo normal. A otros han de pegarles una palmada en el trasero para que rompan en llanto y una bocanada de aire les llene los pulmones y se cierren los conductos que los comunican con el corazón. A Paco, a Paquito, no.

Él no tuvo más que abrir los ojos, todavía con tres cuartas partes del cuerpo dentro del de su madre, y ya se puso a llorar. No se lo han contado, pero la realidad fue ésta: las lágrimas de él contagiaron a la parturienta, que le culpó de la tristeza infinita que la acompañó durante mucho tiempo y que, a la larga, sería la causante de que su marido buscase en otras la alegría que ella le negaba. A ver, nunca se lo dijo así, con todas las palabras (tú tuviste la culpa del desastre de mi matrimonio), pero era algo que se palpaba en el ambiente. Cuando los padres de Paco discutían, tarde o temprano aparecía él en el cruce de reproches (tú antes no eras así, ¿antes, cuándo?, antes, ¿antes de cuándo?, pues ¿antes de cuándo va a ser?, antes de que naciera el niño, eres un ser despreciable, y tú una loca de remate, y vuelta a empezar). Y eso que tener un niño había sido el *leitmotiv* de la vida de su padre (le encantaba la expresión y la usaba siempre que tenía oportunidad, aunque la soltase sin ton ni son y en su boca sonase como una patada), y todas las noches le hacía el amor a su mujer con la esperanza de dejarla preñada del chico.

Ella le explicó que no era menester que lo hicieran a diario, le habló de la fertilidad, de los días propicios y de los ciclos de la luna, pero él insistió en que era mejor apostar sobre seguro, no fuera a ser que un mes su regla se desbarajustara y perdieran la ocasión, así que todas las noches, tuviera o no ganas, estuviese o no cansado, le apeteciera o no, le decía a su mujer venga, a por el chico. Paco tampoco supo que, si estaban animados, se desnudaban con manos urgentes y apasionadas, se besaban, se mordían la lengua, los labios, las orejas, se arañaban la espalda (se hacían daño a veces), él le lamía los pechos, ella le rodeaba el sexo con los dedos, gemían, se decían marranadas al oído, rodaban por la cama para imponer posturas (ella quería estar arriba, él prefería cabalgarla a cuatro patas porque era la posición más fértil). Si la cosa no estaba para bromas, ella se levantaba el camisón y él se bajaba el calzoncillo y en dos empujones ya daban al hijo por encargado. El sistema de Julio funcionó, porque fueron encadenando embarazos hasta que su mujer casi muere en un parto, que, por suerte, fue el del crío.

No es que no quisieran a sus hijas, ojo, pero él lo que ansiaba era tener un niño que perpetuase su nombre (Julio), y ella lo que se había propuesto era darle todos los gustos a su marido. Pero, ay, el hijo se les atragantaba. Del primer embarazo nació una niña (María Amparo, como la madre), del segundo otra (María Escolástica, como la madre del padre). La tercera se llamó María Julia porque ya habían tirado la toalla del varón, que llegó al cuarto y no pudo llamarse como él porque no quedaba bien que los dos hermanos compartieran el nombre, así que le bautizaron como al abuelo paterno y para que el mal fuera menor le añadieron un De todos los Santos que en teoría incluía el nombre del padre.

Francisco de Todos los Santos López Andreu, Paco, Paquito, fue un bebé llorón e insomne que crispó los nervios de la madre. Siempre estaba enfermo y desinteresado por la vida. María Amparo sólo tenía un sentimiento hacia él y era malo. ¿Cuál? Uno abominable: deseaba su muerte. No dejaba de pensar lo bien que vivía antes con sus tres niñas, que eran como tres soles, que no hacían nada más que comer, dormir y obedecer a los padres. Antes, qué feliz era, cuando su marido la necesitaba, cuando la búsqueda del heredero los unía en cuerpo y alma, cuando ella no estaba siempre cansada, malhumorada, enfadada con la vida. Y, mientras tanto, Paco, Paquito, en su cuna, ajeno al drama, llorando por todo, enfermando por todo, pequeño como un ratón, siempre con ese aspecto de estar a punto de dejar este mundo.

¿Cómo no iba ella a querer que muriera de una vez?

Si es que era lo mejor para todos, coño, que en esa casa no se podía ni respirar sin que Paquito lo notase y se pusiera a llorar como un maldito, si no quería su leche, si regurgitaba lo poco que se comía, si parecía que no tenía ganas de vivir. Aunque hubiera dejado que le arrancaran la piel a tiras antes que reconocerlo, no quería a su hijo, y esa falta de humanidad, ese sentimiento tan poco cristiano, la tenía reconcomida por dentro. No quería a su hijo. Le costaba abrazarle, darle besos, cantarle nanas, decirle al oído cosas bonitas, así que no hizo nada de eso. El padre, sí. Julio se pasaba las horas con su hijo en brazos. Como no tenía que trabajar (por gusto administraba las tierras que había heredado de su primera mujer, muerta en un parto), sólo consentía en dejar al bebé cuando llegaba la nodriza a darle de mamar. Para disgusto de María Amparo, de un día para otro Paco se aferró a esa vida que tan poco le interesaba, empezó a ganar peso y le robó por partida doble la atención de su marido. Por partida doble, sí, porque Julio se alegró tanto de la recuperación de Paquito que decidió beneficiarse a la nodriza, quién sabe si para agradecérselo. Tampoco nadie le ha contado eso a Paco.

Han pasado años sin pensar en ello, pero ahora se acuerda de su infancia casi todas las mañanas. Lee periódicos (*El País* y el *Levante-EMV* y el gratuito que ese día repartan en la parada del autobús), habla un rato con María José (hoy hace buen día, hoy hace mal día, *Jim* ha hecho esto, *Jim* ha hecho aquello, tienes buen aspecto —eso siempre, aunque sea mentira—, mira que es pesado el hijo de la profesora, etcétera), piensa en Cleopatra (en sus tetas, en concreto), da un par de cabezadas, se despierta sobresaltado, saca el bocadillo que se ha comprado en el bar de debajo de su casa (lo encarga todas las tardes para no tener que entretenerse por la mañana), se lo come, se limpia la boca con una servilleta, la dobla, se lleva el puño cerrado a los labios, eructa con disimulo, se compra un café de la máquina de cafés, se lo toma, va al baño, mira por la ventana, se sienta, se levanta, se sienta otra vez, se levanta otra vez, se acerca a la cama de María José, le coge la mano, se la acaricia, le dan ganas de llorar, a veces las contiene y a veces no, se hace preguntas (¿cuánto durará esto?, ¿resistiré hasta el final?, ¿podré soportarlo después?, ¿habré hecho todo lo que he podido para que mi hija fuera feliz?, ¿habrá sido feliz mi hija?, ¿qué recuerdos se llevará?, ¿en qué estaría pensando?, ¿cuál sería su último pensamiento antes del accidente?, ¿cuándo piensa pasar por aquí el hijo de la gran puta de Joaquín?, ¿sería feliz mi hija?, ¿habrá tenido todo lo que merecía?, ¿sería consciente de cuánto la quería, de cuánto la queríamos?), trata de responderlas (no lo sé, espero que sí, no, seguro que sí, no lo sé, buenos y malos, no lo sé, no lo sé, qué cabrón, espero que sí, espero que sí, Dios mío, espero que sí, espero que sí), y es más o menos entonces, después de esa conversación, cuando le vienen a la cabeza recuerdos que creía enterrados.

Piensa en una tarde de playa, en una María José de cuatro años que se bebe un vaso de sangría en un descuido y se pone a hacer tonterías porque está un poco borracha, y piensa en Pilar, que le recrimina que no haya tenido cuidado, como si ella no hubiese estado allí. Ese recuerdo le trae el de su madre reprochándole a su padre que ha llegado tarde el día del cumpleaños de María Escolástica, y su padre huele a vino y la mira con desprecio, bueno, no, con indiferencia, y su madre se va a la habitación y se pone a llorar y su padre se saca del bolsillo un regalo para su hermana y su hermana le saca la lengua, como burlándose de él, y su padre sale del salón y le hace un gesto con la cabeza para que le siga, y en su despacho saca otro regalo para él mientras le guiña el ojo. No se lo digas a nadie. No.

Recuerda a su tía Dolores que va a ver a su madre, que está enferma, y le dice que ya sabía que Julio era así cuando se casó con él, y su madre se echa a llorar (otra vez), y la tía Dolores le dice ya nos habían contado que era un egoísta que iba a la suya, que lo único que quería era pegar un braguetazo y tener un hijo, y su madre dice sí, y la tía Dolores dice ¿o no te acuerdas de que maldijo a su primera mujer cuando tuvo una niña retrasada y que en el siguiente embarazo ella se murió en el parto y de la retrasada nunca más se supo?, y su madre dice sí, y la tía Dolores dice ya te dijimos todos que no te casaras con él, y su madre dice sí, pero yo le di un niño sano, y la tía Dolores dice pues para que te fíes, y su madre dice antes de que naciera Paquito no era así, y la tía Dolores dice pues, ea, para que te fíes, y su madre dice ojalá nunca lo hubiera tenido y así nos habríamos pasado la vida buscándolo, y la tía Dolores dice calla, muchacha, que te va a oír, y él lo oye a pesar del cuidado de su tía porque está jugando debajo de la ventana del cuarto en el que ellas cuchichean.

Recuerda que a los siete años se puso enfermo (gripe) y deseó morirse y que entonces su madre pareció darse cuenta de que en realidad no quería que muriese y desde ese momento se lo comía a besos cada vez que lo tenía cerca, pero a partir de entonces sus hermanas le cogieron celos y le pegaban cuando lo tenían cerca. Recuerda a su amigo Alvarito que un día le pregunta si sus padres no dejan de gritarse nunca y él, sorprendido, le contesta que si es que los suyos no son así. Recuerda a su padre diciéndole hijo mío, no te fíes nunca de las mujeres, que están todas como una puta cabra, no te preocupes si te desprecian porque algún día todo lo que yo tengo será tuyo. Recuerda a su madre con los ojos rojos de tanto llorar, a sus hermanas con la cara desencajada, a María Escolástica preguntando con la voz temblorosa pero ¿de verdad ya no tenemos nada? Recuerda muchas cosas como éstas, y al recordarlas tiene la sensación de que quizá podría haber hecho algo, algo más que quedarse callado, que contestar siempre que sí o que no cuando un sí o un no significaban el fin de una discusión. Se siente mal. Se culpa de haber sido un niño triste, un adolescente apocado, un adulto pusilánime. Tiene la certeza, ahora sí, de que no fue el responsable del estrepitoso fracaso de los sueños de su madre, pero no puede decir lo mismo de los suyos (si es que los tenía), de que podría haber sido de otra forma, de que podría haberse esforzado en forjar otra personalidad, más audaz, más viva, más feliz. Y eso le duele.

El dolor de Goumba es insoportable. Le ha contado a Pilar que se apellida Samb, que tiene diecinueve años, que los cumplió el día que tuvo el accidente, que nació en una ciudad que se llama Podor, que tiene cinco hermanos varones y dos hembras, que él es el mayor, que no conoce el idioma aunque llevaba algo más de un año en España cuando tuvo el accidente porque sólo había hablado con otros senegaleses y con algún marroquí con los que trabajaba recogiendo fruta en los invernaderos, que llegó a Almería en una patera casi seis meses después de haber salido de casa, que en el cayuco creyó que se iba a morir, que esperaron a que hiciera buena mar durante semanas y que el día se torció al poco de abandonar el puerto. Le contó que, de no ser por el patrón, todos se habrían ahogado, que los obligó a tirar por la borda las pocas cosas que poseían y que al final echaron al agua hasta los remos del bote.

Le explicó que, cuando el motor falló, el hombre que pilotaba rompió con sus propias manos dos bidones de gasolina que eran de plástico y se los dio a unos cuantos para que remaran y evitaran que la barca se perdiese camino de Argel, porque en ese caso nunca los encontraría ni la Guardia Civil ni la policía de Marruecos. Le dijo que los hombres lloraban y que los niños miraban al horizonte, incrédulos de que su vida fuese a acabar así. Rezaban y rezaban y no sabían cuánto tiempo llevaban en el mar, y al final los rescataron los españoles, les preguntaron cuántos de ellos eran menores y los treinta levantaron la mano, aunque a algunos no los creyeron y los mandaron de vuelta a casa. Él también mintió, pero el hambre y el susto le hacían parecer más pequeño, así que los llevaron a un centro de menores donde les dieron de comer y pudieron dormir en una cama con sábanas limpias, un lujo para ellos, que por ahorrar habían estado tres meses durmiendo al raso en Nador, pero se escaparon porque uno que trabajaba allí les dijo que en cuanto se recuperasen los mandarían a casa como a los mayores.

Goumba, que tenía ganas de hablar, le estuvo contando que antes de embarcar había estado en Fez para ganar el dinero con el que pagar el viaje y que consiguió los mil cuatrocientos dírhams haciendo de vendedor ambulante; luego estuvo en lo de los invernaderos, y que podía mandar a casa unas monedas, unas pocas, no demasiado, una miseria para él pero una fortuna para los que seguían en Podor. Allí, en Podor, todos creían que en Europa Goumba viviría mejor y que volvería en verano en un coche grande lleno de regalos, que podría casarse con la mujer que le diera la gana porque sería rico y que podría ir llevándoselos a todos poco a poco, pero en realidad él echaba tanto de menos a su madre y a sus hermanos que casi todas las noches lamentaba haber tomado aquella mala decisión, y que lloraba mucho, y que hoy aquellas lágrimas le dan vergüenza porque ahora es cuando tiene problemas y no entonces.

Le siguió diciendo que un compañero le animó a dejar Almería para trabajar en Valencia porque aquí, en Valencia, se ganaba más, pero que el mismo día que llegó resbaló en la acera porque había llovido y a un niño se le ocurrió la idea de derramar una botella de aceite en un charco, no por maldad, sólo para ver qué pasaba, y se despertó en un hospital, que no entendía nada, que no podía moverse, que no sabía qué iba a ser de él, que fue un doctor que le preguntó en francés si hablaba francés, que él contestó que sí, que el doctor le dijo que había tenido un accidente, que si había alguien a quien pudieran avisar, que dijo que sí, que a su madre, que vivía en Podor, que en su casa no había teléfono pero que podía avisar a un vecino que sí tenía, que el doctor le dijo que al caer se había golpeado en la zona cervical con el bordillo de la acera y que el accidente le había causado una lesión medular irreversible, que se había quedado tetrapléjico, que sólo podía mover la cabeza, que le preguntó cuándo se iba a curar, que el doctor le acarició la cara y dijo algo en español que él no entendió pero que le pareció que sonaba muy triste, que le preguntó cuándo iba a avisar a su madre, que llegó una enfermera que también sabía hablar francés y le explicó la situación, que le consoló, que se quedó con él esa noche cuando terminó de trabajar, que apareció la policía, que seguía sin entender nada, que le acercaron un móvil al oído y que oyó la voz de su madre, que no fue capaz de hablar, que se puso a llorar y tuvieron que colgar, que al cuarto intento le salió la voz, que no le quiso contar toda la verdad, que sólo le dijo que estaba enfermo porque no la quiso preocupar, que si rezaba lo suficiente a lo mejor se curaba, que había llorado mucho, y que si ella le prestará su teléfono para volver a hablar con su madre.

Pilar le deja hablar. En algún lugar ha leído que es bueno hacerlo (escuchar a los demás), que es lo que todos deberíamos hacer más a menudo porque por eso tenemos dos orejas y una sola boca. Es lo que le contesta a Goumba cuando él le pregunta que por qué está siempre tan callada. Goumba sonríe. Quizá sea la primera vez que lo ve, y la sonrisa de él parece iluminar el cuarto. A Pilar se le encoge el corazón, como si hubiera ganado una batalla. Hace ya casi tres semanas que va a verle, todos los días. Cuando llega, le pregunta por María José. Cuando se marcha, le recuerda, por favor, que cuando pueda le lleve el móvil para hablar con su madre. Pilar se muestra reacia, a lo del móvil. Quiere ayudarle, consolarle, pero no le seduce la idea de dejarse el sueldo en esa llamada. Pagar a Andrea en el gabinete y a Cleopatra en el hospital la dejan tiritando a final de mes. El dinero de María José no quieren tocarlo, por si acaso. Paco y ella estuvieron de acuerdo. Por si acaso se recupera. Ahora, el por si acaso es otro: por si acaso tarda en morirse. Así que se hace la sueca cada vez que Goumba le dice lo del teléfono, y si se pone muy pesado decide que al día siguiente no irá a verle, pero cuando llega el día siguiente se remueve inquieta en el sillón, se pasea por la habitación, intranquila y culpable, como si estuviera haciendo algo malo, hasta que al final no puede evitar acercarse a su cuarto. ¿Me traerás el móvil?, le pregunta Goumba, y ella dice quizá mañana me acuerde. Se siente miserable por escamotearle esa llamada, pero se dice que ya ha hecho mucho por él, y es cierto.

Aparte de ir a visitarle, le ha escrito en un papel a Cleopatra cuatro frases para que se las diga todas las noches, para que le pregunte cómo se encuentra y si necesita algo, por si acaso se pone malo y nadie se da cuenta, y a él le está enseñando a hablar en español y ya sabe saludar, dar las gracias, decir si se siente bien o mal, los colores y los días de la semana. No es mucho, pero es que a Pilar lo de la enseñanza nunca se le ha dado bien. Le falta paciencia, como para casi todo.

Además, se puso en contacto con Médicos del Mundo (María José era socia) y les explicó el caso de Goumba. Ellos le hablaron de la asociación de senegaleses, y también los llamó. Entre todos tratan de buscar una solución para Goumba, y mientras la encuentran, van a verle a menudo, que no es poco. También ha colgado un corcho enorme frente a la cama, para que Goumba pueda ver fotos de Senegal, de chicas guapas, de atardeceres y de amaneceres, y donde los de la asociación le escriben mensajes de aliento y aleyas del Corán. Ánimo, Goumba, «Ése es mi afán, pero Tú haz Tu voluntad», «No temáis. En verdad, estaré con vosotros oyendo y viendo», «Y ciertamente os pondremos a prueba por medio del peligro, del hambre, de la pérdida de bienes, de vidas y de frutos. Pero da buenas nuevas a los que son pacientes en la adversidad».

Goumba está menos solo y sabe que se lo debe a ella, y se lo agradece todos los días, entre el ¿cómo está tu hija hoy? y el ¿me traerás un teléfono para escuchar a mi madre?

Pilar también ha hablado con el director del hospital y ha conseguido de él tres garantías: que no lo enviarán a un asilo, que lo retendrán en el hospital todo el tiempo que puedan y que en cuanto le den el alta a la profesora de física médica lo trasladarán a la habitación de María José para que esté siempre acompañado. Pero por lo del teléfono no pasa. Es por el dinero, cierto, aunque también lo hace por mantener algo de frialdad en su vida porque sabe que, sin esa frialdad, estaría perdida. Sabe que si pierde esa capacidad se hundirá para siempre en el pozo sin fondo de su dolor y allí hundida no podrá cuidar de María José ni de Goumba, que es lo único que la mantiene a flote en los últimos dos meses. Lo piensa así, con todas esas palabras más propias de la letra de un tango (o de un bolero) que de una madre que está esperando lo que está esperando ella.

Un día, Goumba le pregunta ¿cómo está hoy tu hija? Hablan de la noche, de las enfermeras, de las llagas de la espalda, del tiempo que hace hoy en Senegal (Pilar lo consulta en Internet antes de salir de casa), pero cuando se marcha, no le pide el teléfono. A Goumba le brillan los ojos, aunque no dice nada. Tampoco la tarde siguiente, ni la otra, ni la otra. Pilar no quiere preguntarle nada, pero quiere preguntárselo todo.

—¿Ya no quieres que te deje el teléfono? —le dice al fin.

—...

—Si quieres, te lo dejo. Voy a por él, que lo tengo en el bolso.

—...

—¿Qué pasa? ¿Estás enfadado?

Goumba se ríe, nervioso. Pilar se imagina que hasta ahora Goumba se ha tapado los dientes con la mano al sonreír, porque son grandes y están algo separados, y en parte se alegra de que no pueda ocultarlos porque su sonrisa es grande y luminosa.

—No, no. Enfadado, no. Estoy contento.

—¿Contento? Pues me alegro mucho, hijo mío, pero no entiendo por qué no quieres el móvil si me lo llevas pidiendo desde que te conozco.

—Es que tú sí te vas a enfadar.

—Yo no voy a enfadarme contigo en la vida, Goumba.

—Conmigo, no, pero...

—Pero ¿qué? ¿Te ha dejado el teléfono Cleopatra? Dímelo... No voy a enfadarme con ella...

Lo dice y se siente la madrastra de Cenicienta, porque sabe que es mentira. Si Cleopatra le ha dado el teléfono antes que ella, si le ha robado esa oportunidad de ser buena y generosa, la despedirá en cuanto salga de la habitación.

—No, no —repite Goumba—. No ha sido Cleopatra...

Pilar reprime su impulso de someter al pobre Goumba al tercer grado. Le cuesta menos de lo que se imagina, porque realmente saber cómo está su madre, cómo están sus hermanos, sus hermanas, sus sobrinos, sus amigos y, sobre todo, cómo se siente él después de la llamada, le interesa mucho más que descubrir quién le ha dejado el teléfono. Habla con él mucho rato, pero Goumba no parece Goumba porque Pilar habla con un Goumba feliz. Cuando se va de la habitación (mi hija me está esperando), Goumba mueve varias veces la cabeza, como diciéndole te comprendo, Pilar, pero antes de que salga le dice no te enfades con él.

—¿Con quién?

—Pues con él, con él, ¿con quién va a ser? Fue muy amable. Vino y me dejó el teléfono sólo a cambio de que no te dijera que me lo había dejado él. Me dijo que te tenía miedo, pero era una broma... ¿Cómo va a tenerte miedo? Tú eres muy buena.

—...

—No te enfades.

Pilar cierra la puerta, despacio. No está enfadada, ¿cómo estarlo? Al salir, se apoya en la pared y cierra los ojos. Se siente triste. Se siente feliz. La pierna le duele como nunca, y eso le da ganas de llorar y también de sonreír.

Marga llora casi todas las noches. Carlos finge que no se da cuenta. Fingía. No es que no quisiera consolarla, es que intuía que su dolor era tan grande, tan profundo, que prefería dejarle su espacio. Lo pretendía incluso físicamente, y se arrimaba tanto al borde de la cama que más de una vez se despertó con un sobresalto, a punto de caerse. Marga no lo interpretaba así. Pensaba que su marido era un ser egoísta y despreciable que la dejaba sola en ese momento tan duro de su vida, hasta que una noche Carlos no pudo más y la abrazó desde atrás y la apretó muy fuerte contra su pecho sin decir ni una palabra y estuvieron así ni sabe cuánto tiempo, puede que horas, hasta que ella dejó de hipar y de limpiarse los mocos a veces con la manga del pijama, a veces con el pico de la sábana y a veces con un pañuelo de papel mugroso que estaba en la mesilla, y los dos se quedaron dormidos en esa postura tan incómoda hasta que sonó el despertador y tuvieron que levantarse para decirles a los niños venga, arriba, que ya es la hora, para hacerles el desayuno, para acompañarlos a la parada del autobús y para marcharse cada cual a su respectivo trabajo (Carlos a la tele y Marga a Mercadona).

Normalmente se reparten la tarea para adelantar, lo hacen todo medio dormidos y se despiden con un beso rápido, pero esa mañana los dos se encargaron de los niños, de los desayunos y del autobús, y Carlos la acompañó al coche y la miró con ternura infinita, volvió a abrazarla y la besó sin decir nada. Marga le agradeció que se mantuviera callado, porque podría haber dicho algo del tipo todo saldrá bien, o esto acabará pronto, o ten paciencia, o María José sabe cuánto la querías, que no sólo le hubieran tocado las pelotas, sino que de un plumazo habrían barrido toda la magia de las horas anteriores. Pero no, Carlos guardó un conmovedor silencio que Marga supo interpretar: no estás sola, estoy a tu lado, te comprendo, comparto tu dolor. Pasó el día pensando en él. Le mandó varios mensajes por el móvil, como si fuera una adolescente (te quiero, te echo de menos, perdóname). Carlos sólo contestó al último (¿cómo que te perdone?, ¿qué tengo que perdonarte, so tonta?), pero Marga no le respondió porque le daba vergüenza y porque su teléfono sólo tenía capacidad para escribir novecientas trece letras (espacios en blanco incluidos), una cantidad a todas luces insuficiente para dejar constancia de su estado de ánimo y de su mezquindad.

Carlos tiene mucho que perdonarle, aunque no lo sepa. Es más, es precisamente ese desconocimiento lo que más necesita Marga que le perdone. Carlos no sabe muchas cosas de ella. No sabe que antes de irse a vivir juntos le puso los cuernos cinco veces (las dos primeras porque bebió demasiado, la tercera porque estaban enfadados y a ella le pareció que habían roto, la cuarta porque volvió a beber más de la cuenta y la quinta porque creía que no le quería lo suficiente y se le ocurrió que ésa era una buena manera de asegurarse). No sabe que el segundo embarazo la pilló tan desprevenida que durante varias semanas se lo ocultó porque estuvo valorando la posibilidad de no tenerlo, ni que le registra la cartera y le lee los mensajes del móvil cuando él está en la ducha, por si acaso se la está pegando, ni que de vez en cuando siente que está echando su vida a perder, no por estar a su lado, sino por conformarse con jugar a las casitas en lugar de arriesgarse a fracasar, ni que en el fondo le culpa de haber echado a perder su carrera como periodista (aunque más en el fondo sabe que la culpa de verdad la tuvo ella porque le dio pereza matarse a trabajar a cambio de un sueldo de mierda y prefirió tener tiempo para vivir, para ver la luz del sol, para llevar a sus hijos al parque, y porque, más en el fondo todavía, sabía que le faltaba talento y vocación), y que aunque siente que le quiere a veces también siente que no le quiere, que esa vida que tiene no está a la altura de la que había soñado, que aunque no cambiaría a sus hijos por nada a veces sí los cambiaría por algo (por no tener barriga, por poder dormir toda la noche, salir al cine, a bailar, a tomar una, dos, tres, cuatro copas, por ligar, por ser una mujer y no una madre), y por eso también llora a veces, aunque no por la noche. La noche está reservada para llorar por María José. Llora porque su amiga, su mejor amiga, su hermana, se va a morir.

¿De verdad llora por eso? No. Llora porque en realidad ya está muerta. Peor que si estuviese muerta. Porque es como si estuviese viva, pero no es más que una fantasía, y Marga contribuye a mantenerla cada vez que va a verla, como si aceptase esa oportunidad del destino (estar un poco más con los que amamos). Es cierto que más de uno pagaría por eso, por poder despedirse, decir te quiero, o perdóname, o por abrazarse una vez más, una última vez, y es ella la que puede, es ella la que va al Sánchez Díaz-Canel, pero también es ella la que no lo valora. Parece que sí, pero también es una fantasía. Entra en la habitación y se sienta a su lado y la coge de la mano, y el planeta entero tendría que hundirse para que la soltase, y no hace caso a las miradas de odio de Pilar, y le relata absolutamente todo lo que ha pasado, y le recuerda viejas anécdotas, y le hace cosquillas en el antebrazo, y la peina, y se tumba con ella en la cama, y la abraza, y le enseña los dibujos que le han hecho sus hijos, y le cuenta que Carlos le manda besos y que una tarde de éstas irán todos a verla, y antes de marcharse le pide que la espere una semana más, y le promete que hará todo lo que pueda para que las cosas salgan bien, y le cuenta que hay un forense que se llama Miguel Lorente que acaba de publicar un libro en el que cuenta que Jesucristo no resucitó, sino que lo que le pasó al tercer día fue que se despertó de un coma, así que tú también puedes despertar, ¿eh?, aunque ya te vale, perezosa, que llevas casi dos meses así, y se ríe. Porque Marga, en la habitación, se ríe. Se comporta como si esa visita le gustase, como si se alegrase de ver a su amiga, viva. Pero no. No le gusta, no se alegra. Tampoco se alegrará cuando ya no esté.

Por ella, habría sido mejor que María José, hubiese muerto en el accidente, como le pasó a su propio padre, que se mató a los cincuenta y dos años cuando volvía de ver jugar al fútbol al hijo de su amigo Facundo, que era el que conducía, y que estuvo entre la vida y la muerte varios días, peleando por vivir como un león, agarrándose a la vida que ya se le había escapado al otro sin que él lo supiera. El hijo futbolista de Facundo le contó a Marga que, como no podía hablar porque tenía hecha una traqueotomía, su padre escribió dos notas. En una quería saber si había sido culpa suya y advertía que, de ser así, se quitaría la vida. En la otra preguntaba ¿y Antonio cómo está?, ¿dónde está Antonio?, y advertía que si le había pasado algo por su culpa se quitaría la vida. Le dijeron la verdad sólo en una cosa (la culpa no fue suya), pero lo de Antonio se lo ocultaron todo el tiempo que pudieron, no porque pensaran que iba a cumplir su amenaza estando como estaba dentro de la uci, sino porque no querían que perdiese las ganas de luchar. Fue un coche, que adelantó a un camión y se os echó encima en un cambio de rasante. A Antonio ya le verás cuando salgas de aquí. Y era cierto (en parte), porque cuando le dieron el alta varios meses después y Facundo fue a su casa lo encontró dentro de una vasija que su viuda tenía guardada en el dormitorio hasta que sus hijas y ella decidieran qué hacer con la urna.

No se ponían de acuerdo: Antonio, en vida y en broma, había mencionado alguna vez que quería que le incinerasen pero que le parecía una guarrada que echaran las cenizas al mar, o a la montaña, donde a cualquiera se le podía meter en un ojo su fémur carbonizado, y que para eso prefería que desparramaran su cuerpo ceniciento por la escalera mecánica de El Corte Inglés, que era donde mejores ratos había pasado viendo cómo su señora se peleaba con otras mujeres por un suéter de angorina en las rebajas. Al final, aunque entonces eso no lo sabían, las cenizas de Antonio se quedarían en esa habitación hasta que Marga se las llevó a su casa años después, porque la madre consiguió rehacer su vida con un compañero de trabajo, y el hombre, con razón, le confesó que le daba repelús hacerle el amor con el cuerpo de su antiguo marido a su espalda.

Pero para eso faltaba mucho tiempo, y el día que Facundo fue por fin a visitarla, los dos, la mujer y el amigo, lloraron amargamente la pérdida del que había sido el amor de la vida de una y el pilar de la vida del otro, lloraron abrazados, lloraron en silencio, lloraron dándose palmadas en los hombros, lloraron y lloraron y lloraron hasta que por fin se quedaron literalmente sin lágrimas y pudieron hablar, ay, con la ilusión que tenía Antonio de ir a Sevilla para la Expo, sí, la Expo, ay, ay, ay, dime, ¿por qué ha pasado esto, Facundo?, maldita la hora que le invité a ver el partido, yo ahora no voy a saber vivir sin él, cuánto lo siento, pero cuánto lo siento, ayyyy, perdóname, (...), ay, ay, ay, (...) perdóname, te lo pido por favor, yo no tengo nada que perdonarte, y así estuvieron, dale que dale con el perdón y con la Expo, hasta que el hijo de Facundo consiguió sacarlo de la casa de su amigo muerto dos veces: la primera, la tarde del accidente, y la segunda, cuando supo la verdad.

María José estuvo con ella todo ese tiempo, desde el primer momento. Tenían una perra, blanca y pequeña que por lo general no dejaba de ladrar pero que el día que su dueño murió pareció oler la desgracia y empezó a pegar unos alaridos que ponían los pelos de punta. La casa de Marga estaba llena de gente y María José sacó a la *Nina*, aunque sospechaba que su madre pondría el grito en el cielo (no lo hizo, en realidad), y al mismo tiempo que a la perra se llevó del piso de Marga, casi a escondidas, una maleta pequeña que contenía un traje gris oscuro, una camisa blanca, una corbata, unos zapatos y un par de calcetines negros. Luego María José fue a su casa, cogió su coche y se dirigió al hospital, donde la esperaba la hermana de Antonio para recoger el maletín. Marga supo lo de la mortaja hace poco, cuando le contó a su tía lo del accidente de María José, y su tía se puso a llorar como si la conociera de toda la vida porque se acordó de que aquella mañana, cuando le dio la ropa, estaba tan desconcertada que se llevó a la perra a la puerta de la morgue y se dejó el traje en el coche, y cuando las dos fueron a por él, se echó en sus brazos y estuvo casi media hora murmurando que la vida era horrible, que sus padres llevaban no sé cuánto tiempo sin hablarse, que los de Marga se querían, que nunca pensó que tendría que hacer algo así.

Pero sí lo hizo, María José.

Hizo eso, y estuvo a su lado todos los días que la necesitó, que fueron muchos, y la acompañó al cementerio prácticamente a diario, y a la sicóloga una vez por semana, y la arrastró a la calle, y a la playa, y a la vida que seguía aunque ahora él ya no estuviera, y la dejó llorar sin decirle no llores, y la hizo reír, y la dejó llorar, y la hizo reír, y la dejó llorar, y así sucesivamente, sin contarle nunca que el traje con el que incineraron a su padre lo había llevado ella junto con una niñez que se había resistido a abandonarlas hasta ese momento, que Marga describía más tarde como si se hubiera roto la burbuja en la que habían estado metidas toda la vida y la mierda del mundo las hubiera salpicado para siempre jamás. No siempre te sentirás así, le decía María José. ¿Qué sabrás tú?, contestaba Marga. Pero María José estaba en lo cierto. La sicóloga que trató a toda la familia (a Marga, a su madre y a su hermana) les anunció que el síndrome del duelo duraba como máximo dieciocho meses. Les explicó que eso no quería decir, ni mucho menos, que pasado ese tiempo la ausencia dejara de doler, pero sí que aceptarían ese dolor. Les dijo que al principio llorarían todos los días, que cada vez llorarían un poco menos, que un día se darían cuenta de que no habían llorado, que de pronto su recuerdo les traería paz y no tristeza, que pensarían en las cosas buenas que había hecho por ellos, que se conformarían, que se repondrían.

Tuvo razón. Se equivocó.

¿Se han repuesto? A veces, sí. A veces, no.

Hay días en los que Marga ve la cara de su padre en su hijo pequeño. Esos días no habla apenas con nadie, se mete en la cama en cuanto puede y no permite que la toquen porque se siente tan frágil que cree que se va a partir por la mitad. Otros, el recuerdo del padre la llena de tranquilidad, de satisfacción, de felicidad. ¿Tuvieron que pasar los dieciocho meses para que llegaran a ese punto? No. Fueron necesarios muchos más, pero no les quedó más remedio que aprender a vivir por más que les doliese. Pero lo de María José es diferente, diferente, peor. La muerte de su padre se llevó los malos recuerdos, las peleas, los conflictos, la cabezonería, la costumbre de hacer siempre lo que le saliese de los huevos, aquella bofetada que años después todavía les dolía a los dos (una mañana de domingo, cuando Marga tenía siete años, se puso como una energúmena porque quería que su padre le comprara un pollito de colores en la plaza Redonda y él se negaba porque decía que al cabo de unos días perdería el color y ella ya no lo querría), el mes entero sin salir porque la sorprendió fumando en el patio, lo pesado que se ponía para que estudiase, para que se vistiese correctamente, para que no dijese tacos. Pensar mal sobre su padre estaba prohibido después de su muerte.

Pero ¿y María José? María José está viva. Va a morir, algún día, pero ahora está viva. Todavía es posible recordar que María José era amable, divertida, tierna, cariñosa, ocurrente, generosa, inocente, asombrosa, pero también egoísta, pesada, agobiante, malpensada, insegura, yoísta y cargante, y mientras esté viva es posible enfadarse con ella si te acuerdas de aquel vestido que te estropeó porque Joaquín le tiró encima un vaso de vino, por aquel verano que te dejó colgada porque Joaquín quiso ir al cine justo el mismo fin de semana que ellas habían planeado irse al FIB, por el coñazo de tantas horas perdidas hablando de Joaquín, que mira que era pelma, todo el santo día con Joaquín en la boca para que luego..., y por eso, por eso, por haberle dejado un año después de casarse con él, también era posible cabrearse. A ver, no por haberle dejado, sino por haberse pasado la vida entera esperándole, haciendo oídos sordos a lo que le decían de él, para darse cuenta a la primera de cambio de que todo el mundo (ella en particular) tenía razón cuando trataban de hacerle ver que el Joaquín del que se había enamorado hasta las trancas no existía más que en su imaginación. Madura, coño, le reprochaba Marga. Ahora le reprocha que siga viva, que le haga caso y la espere una semana más, que no se muera de una vez y se lleve consigo todo lo malo, todo lo triste, todo lo ruin, y le devuelva lo mejor de su mejor amiga. Por eso llora. Todas las noches, hasta que el sueño la vence, hasta que se queda sin lágrimas, hasta que Carlos la abraza, hasta que se aburre de llorar. Por María José, pero también por sí misma, porque desea que esté ahí el miércoles siguiente y al mismo tiempo quiere que desaparezca, que le suelte la mano, que se vaya al cielo o al infierno si es que existen, que se marche donde sea pero que los deje vivir. Que la deje vivir a ella, y también a Paco y a Pilar, que no son capaces de imaginar que la mejor amiga de su hija no tiene otro deseo más que su muerte.

Fermín deseó estar muerto muchas veces (ojalá un coche se salte la mediana y se me lleve por delante; ojalá se caiga esa farola y me abra la cabeza; ojalá una enfermedad rápida e indolora me quite de en medio, y cosas por el estilo). Nadie lo sabe porque no lo dijo nunca en voz alta. De hecho, cuando por fin se murió, su mujer, la sueca, le definió en el *Diario de Mallorca* (en una noticia que después reprodujo *Levante-EMV* porque Fermín era un valenciano de renombre) como un hombre que amaba la vida y que peleó hasta el final para quedarse. Nada más lejos de la realidad. Fermín se fue dejando morir, un poco cada día, desde que la conoció.

Mucho antes de que se muriese del todo se fue muriendo por partes. Un día se murió el Fermín que tomaba cervezas a cualquier hora. Otro día, el Fermín perezoso y pendenciero que no renunciaba a una bronca ni a una parranda, y tampoco sobrevivieron el Fermín íntegro, el idealista, el hijo del rojo y de la puta, el que tenía problemas con la ley y con la autoridad. Eran muertes pequeñas que iban dejando pérdidas imperceptibles pero irreparables: se moría un Fermín y no quedaba nada excepto un vacío, hasta que al final se murió el que quería vengarse del mundo y nació el otro, el que prefería comérselo. Eso lo aprendió con Elin, que en realidad no era sueca, sino medio sueca y medio mallorquina. Elin Peyre March, muy rica por parte de madre y escandalosamente rica por parte de padre, se pasaba los días tostándose al sol, las tardes tomando horchata y las noches de discoteca en discoteca con sus amigas, las suecas del todo, que habían llegado a la isla de vacaciones. Éstas, las suecas, se follaban todo lo que se les ponía por delante. Elin no, porque la parte medio española se lo impedía. Ella sólo se besaba con los chicos que le gustaban y, como mucho, dejaba que le tocasen un poco las tetas, a veces por debajo de la ropa.

Eso lo supo mucho después de servirle el vaso de horchata por primera vez, al poco de haber empezado a trabajar en Mallorca. Entre la bebida y la metedura de mano tuvieron que pasar miradas, sonrisas, piropos y flirteos. Casi siempre era Elin la que tomaba la iniciativa, porque Fermín sentía terror ante la sola idea de perder el empleo por ligar con una chica en su local. Tampoco es que le fuera fiel a Pilar, pero se limitaba a darse una alegría (por noche) con las turistas a las que se camelaba en cualquier discoteca, hartas de alcohol y ansiosas de aventuras que contar a su regreso.

Pero Elin estaba fuera de su alcance porque era demasiado rica y demasiado guapa, y de no haber sido por la insistencia de ella ¿cómo te llamas?, ¿de dónde eres?, ¿por dónde vas cuando no trabajas?, ¿a qué te dedicas en Valencia?, ¿cuándo piensas regresar?, ¿por qué no nos vemos después?, mis amigas dicen que eres muy guapo, etcétera), la habría dejado pasar sin sospechar lo agradable que era la tela del vestido de verano, lo suave que era la piel de sus pechos, lo dulces que sabían sus pezones, seguramente porque conservaban el sabor de la crema solar, o puede que porque no se duchaba con jabón casero del que hacía su madre con aceite y sosa cáustica y que lo mismo servía para fregar platos que para lavar la ropa que para la higiene personal.

Pero Elin insistió, tanto que a Fermín no le quedó más remedio que dejarse querer mientras escribía cartas llenas de promesas (ganaré dinero, volveré, me casaré contigo, te querré toda la vida) que Pilar leía una y otra vez, muerta de amor, de pena y de melancolía, pero segura de que su Fermín no la engañaba en todo y de verdad ganaría dinero y volvería y se casaría con ella y la querría toda la vida. A veces escribía cartas que nunca enviaba. Las guardaba debajo del colchón de la cama de la pensión en la que vivió hasta que accedió a que Elin le ayudase a pagar el alquiler de un piso pequeño. Las escondía allí porque le daba miedo que ella las descubriese una tarde cualquiera, después de hacer el amor, y de vez en cuando las rompía y las tiraba a la basura, camino del trabajo, porque había pensado en ellas (en las cartas) al oír el quejido del somier.

En realidad, el lamento tenía que ver con soportar el peso de dos cuerpos cuando estaba tan viejo y gastado que apenas podía con uno, pero en la imaginación de Fermín la cama le echaba en cara su traición y le reprochaba que la utilizara para acostarse con otra y para esconder sus secretos más indignos. ¿Qué decían esas cartas? No mucho, en el sentido estricto de las palabras. Algunas sólo contenían el nombre de Pilar, escrito una y otra vez. Otras trataban de justificar sus actos (yo no quiero ser un muerto de hambre toda la vida). Unas pocas proponían una vida juntos, en la distancia y en el engaño, y la mayoría pedían perdón.

En las cartas que sí enviaba Fermín le contaba la verdad, o eso le gustaba pensar: que una parte de la verdad era también la verdad. Mentira hubiera sido decir que no se le había pasado por la cabeza acostarse con otras mujeres, o peor todavía, que no lo había hecho, pero escribir que la añoraba, que deseaba volver a tenerla entre sus brazos, que contaba el tiempo que faltaba para regresar, que cada día recordaba la tarde en casa de aquel amigo..., eso era verdad. Al principio, era verdad, pero también era verdad que sus cartas cada vez tenían menos verdades que contar, porque deseó tenerla entre los brazos y la siguió añorando hasta el último segundo del último minuto de la última hora del último día de su vida, pero cada vez tenía menos tiempo y menos ganas de pensar en ella: Elin se lo llevaba todo. Elin y sus declaraciones de amor (te quiero más que a nadie en este mundo) y de intenciones (te voy a querer hasta que me muera y mi familia me da igual); Elin y sus promesas de una vida mejor (todo lo mío será tuyo, no tendrás que servir mesas nunca más); Elin y su confianza ciega (yo sé que acabarás amándome como yo a ti).

Elin. Elin y su pelo rubio, y sus ojos negros, y sus caderas estrechas, y su esquizofrénica mezcla de genes nórdicos y españoles que la llevaban a querer hacer el amor a todas horas pero sólo en una postura (la del misionero), porque lo demás le parecía poco decente. Hasta que se casaron no se la chupó. Porque se casaron (y se la chupó), aunque para eso tuvieron que pasar tres años desde la tarde de la primera horchata. Por ellos (por ella) se habrían casado ese mismo verano, aunque le hubiera costado la herencia. Fermín, que entonces todavía pretendía regresar con Pilar y cumplir sus promesas, se negó. Pero Elin se mantuvo firme y Fermín se dejó querer. A mediados de julio, Elin estaba convencida de que él era el amor de su vida. En agosto, ya se había enfrentado a sus padres. En septiembre, se mudó a la casa de su abuela para presionar. Octubre, noviembre, diciembre y enero fueron meses muy difíciles. En febrero, el asunto pareció mejorar: los padres de Elin dieron su brazo a torcer y accedieron a conocerle. Fermín fue a verlos para contarles los planes de Elin: su hija quería irse a vivir con él, y él, español y honrado como era, no podía admitir eso bajo ninguna circunstancia. Les dijo parte de su verdad: que la respetaba, que pretendía hacerla feliz, que aspiraba a compartir su vida con ella. El padre le preguntó si le interesaba su dinero y, por decencia, él se limitó a contestar pero ¿por quién me toma, caballero?, e hizo amago de marcharse.

El hombre se dejó impresionar, quizá porque ya estaba cansado de plantarle cara a su hija, y le pidió disculpas. Fermín le respondió que él era un hombre libre y hasta ahora sin miedo porque la libertad consistía en no tener nada, pero que por primera vez conocía el temor, no el temor a perder algo material, sino el de perder a Elin, la única mujer con la que quería vivir, porque si en ese momento le negaba la mano de su hija, él desaparecería de allí para siempre y no molestaría más y sólo le pediría a Dios que le encontrase un hombre digno capaz de amarla y de darle lo que merecía.

El padre guardó silencio. De haberse detenido a pensar, se habría dado cuenta de que su aspirante a yerno no había mencionado ni una sola vez que estuviese enamorado de su hija, y quizá por eso (porque no se detuvo a pensarlo) en marzo Fermín ya había comido con ellos dos domingos seguidos. En abril, Elin regresó a la casa paterna. En mayo, Fermín había aprendido a chapurrear inglés y algo de sueco, a comer con varios cubiertos a izquierda y derecha del plato sin confundir el tenedor de pescado y el de la carne, a tratar a las mujeres según sus categorías (esposa, madre política, criada), a beber bourbon sin echar de menos la cerveza de barril, a navegar en yate, a mantener conversaciones sobre negocios o política internacional sin que le temblase la voz, a meterse en el bolsillo a sus suegros, a hacerles creer que le daba lo mismo el dinero de su mujer, aunque para eso tuviera que firmar un documento privado renunciando a cualquier interés económico en un supuesto e improbable caso de divorcio. Eso también era verdad: él no tenía intención de separarse de Elin, así que sabía de sobra que nunca tocaría su dinero sin contar con ella, porque no le haría falta.

El nuevo Fermín se reinventó, pero sin exagerar: su origen era humilde, pero su padre no había hecho la guerra con los republicanos, sino que había muerto honrosamente en la batalla de Brunete, con los nacionales; lo único que su madre tenía que ver con la vida alegre era que limpiaba locales de alterne cuando terminaba de arreglar bancos y oficinas, un oficio duro pero digno; había ido a Mallorca para ganar dinero, sí, pero no para casarse con una novia que a esas alturas ya estaba desesperada por la falta de noticias, sino para que su madre pudiera dejar ese horario criminal que la obligaba a salir de casa a las cinco de la mañana y a regresar cuando ya era prácticamente de noche. Tampoco eso era mentira del todo, pues Fermín era consciente de estar contándole a la familia de Elin lo que la familia de Elin quería escuchar. ¿Es eso mentira, decir a los demás lo que los demás quieren que les digan? Fermín se hacía la pregunta y casi al mismo tiempo se daba la respuesta: no, por supuesto que no, de modo que se dio de lleno a su verdadera vida de mentiras. El nuevo Fermín fingió ser honrado, generoso, trabajador y hasta franquista, pero en realidad seguía siendo miserable, cobarde, mentiroso y, sobre todo, egoísta. Fingió estar enamorado de Elin, sentirse a gusto en su nueva piel, no echar de menos nada de lo que había sido antes. Vivió hasta los cincuenta y siete años, no tuvo hijos, fue un marido fiel (excepto una vez), un hombre honesto, un hijo devoto que nunca descuidó a su madre a pesar de la distancia, un amigo leal. Eso era verdad a la manera de Fermín. La auténtica, la verdad total era ésta: Fermín fue un hombre desgraciado desde el verano del 63 hasta el 15 de octubre de veinticuatro años después porque nunca consiguió quitarse a Pilar ni de la cabeza ni del corazón, aunque eso fue algo de lo que Pilar, que creía saberlo todo, nunca llegó a enterarse.

Fermín, que también creía saberlo todo, no supo nunca la profundidad de las heridas de Pilar porque, por lo general, quien inflige el daño ignora que las cicatrices permanecen aun después de que el golpe haya dejado de doler. Aparentemente, Pilar no tardó en superar el abandono de Fermín. Nadie, excepto las cuatro mujeres que coincidieron con ella y con la madre de Fermín en la frutería del Zahonero la mañana que la que hubiera sido su suegra anunció que sería la suegra de otra, pudo decir nunca que Pilar sufría por amor, y tampoco es que ellas hubieran sido capaces de imaginar que el corazón de Pilar quedó roto en ese momento.

La reacción de Pilar cuando oyó la noticia de la boda (mi hijo se casa en septiembre con una sueca riquísima que ha conocido en Mallorca) fue limitarse a apretar con fuerza el huevo que en ese momento le estaba tendiendo a la frutera (la Zahonera) para que se lo juntara con los otros cinco que hacían la media docena que había ido a comprar. Pero ¿qué te pasa?, que vas a reventar el huevo, muchacha, le increpó la tendera. Pilar se ruborizó. Las clientas movieron la cabeza de arriba abajo y de un lado a otro y se miraron entre sí, convencidas todas de que estaban pensando lo mismo. Tampoco eso era cierto. La Zahonera fue la primera en menear la cabeza y pensó que Pilar era tonta porque se había puesto roja porque le había llamado la atención. Amparito asintió en silencio por imitación a la frutera y pensó que no se le tenía que olvidar comprar huevos porque su marido (Jaime) le había dicho que quería cenar tortilla de patatas esa noche. Juana, que quería comprar pimientos, cebollas y patatas, no sólo agitó la cabeza, sino el cuerpo entero (desde hacía unos días tenía un tembleque que no la dejaba vivir), y no pensó nada en particular. Asunción, que era conocida en el barrio como Chonín y no sabía que a sus espaldas la llamaban sor Chonín, movió la suya sin pensar ni en Pilar ni en el huevo, sino como un mudo gesto de desaprobación porque la irritaba que precisamente ese rojo maleante e indeseable fuera a solucionarse la vida en virtud del santo matrimonio.

Rosa se puso a mirar el suelo hasta que descubrió una mancha morada y se imaginó que la había dejado una mora, hacía ya tiempo, cuando se cayó de la caja sin que nadie se diera cuenta. Rosa pensó que en ese momento, si el Zahonero o su mujer, la Zahonera, hubiesen estado al tanto, se habrían dado cuenta y su tienda estaría impecable. Rosa, que era una maniática de la limpieza, se atrevió a mirar a Pilar al cabo de unos segundos y se preguntó cuánto tiempo tardaría ella en quitarse la mancha que le dejaba su hijo sin saber que había construido la primera y única metáfora de toda su vida. La Zahonera interrumpió los pensamientos de todas (menos el de Juana, que estaba en blanco).

—¡Qué alegría más grande, Rosa! ¡Ahora sí que ha encontrado un buen trabajo! —dijo—. Y tú, espabila y dame el huevo de una vez, que si tardas un poco más le va a salir el pollito, coño.

Pilar se disculpó, miró primero a Rosa y luego a las demás y luego otra vez a Rosa, quiso pedirle explicaciones, pagó la compra, tropezó con una caja de tomates, volvió a mirar a Rosa, quiso pedirle explicaciones de nuevo, y se marchó sintiendo que el corazón se le había parado en ese mismo momento y para siempre jamás. Ya en su casa, fingió estar enferma.

Para que la dejaran en paz, se puso una cabeza de ajos en cada axila y se hizo subir la fiebre. Los vómitos no tuvo que forzarlos, ni el decaimiento, ni la apatía, ni las ganas de llorar. El médico no supo bien qué diagnosticarle. Dudó entre la escarlatina, la gripe o la melancolía propia de su condición, una enfermedad a la que recurría cada vez que no sabía a qué atribuir el malestar indefinido de una mujer. Le hizo a Pilar las preguntas de rigor (¿dónde te duele?, ¿desde cuándo?, ¿te has enfriado?, ¿has tenido algún disgusto?, ¿te has peleado con el novio?), y Pilar le respondió en todo el cuerpo, desde ayer por la mañana, no, silencio, llanto.

El médico, de hecho, fue el único que la vio llorar. El resto del mundo o no se enteró de nada o la creyó enferma durante unos días, al término de los cuales volvió a aparecer en la calle tal como había sido antes: tímida, reservada y antipática. Eso fue lo primero que supo Fermín: que Pilar siguió siendo la de siempre después de saber que se casaba con otra. Supo que adelgazó pero siguió estando guapa, y supo que aunque era guapa andaba siempre tan malcarada que parecía fea, que terminó en la academia y entró de aprendiza en una peluquería, que la dejó, que se colocó en otra, que la dejó, que empezó en una tercera, que la dejó, que se corrió la voz de que era problemática con las jefas y desagradable con las clientas, que se dedicó a peinar por las casas, que conoció a un chico, que se casó con él, que sus padres murieron, que emigraron a Francia, que regresaron, que tuvo una hija con problemas de obesidad, que montó un gabinete de estética en su casa, que se comentaba que no era especialmente buena pero era barata, que dedicaba las mañanas a las tareas del hogar y las tardes a las clientas, que tenía el carné de la biblioteca y sacaba dos libros al mes, que los lunes hacía la compra de la semana, que los viernes repetía la operación para los días de fiesta, que era metódica, rutinaria, que algunas veces parecía triste pero que en general seguía teniendo pinta de estar enfadada, que cuando paseaba con su marido él nunca conseguía pasarle el brazo por los hombros porque ella se lo apartaba con un gesto, que cuando salía con su hija, la niña no le dejaba que la cogiera de la mano y prefería agarrar la de su padre, que no se llevaba bien con casi nadie, que anduvo metida en jaleos con unos vecinos a los que reprochaba que pusieran la música demasiado alta y que a su vez la acusaban de echarles lejía en la ropa del tendedero. Eso lo supo Fermín. Lo demás, no.

Pilar supo de Fermín lo que su madre iba desgranando tienda por tienda, no demasiado en realidad, porque Rosa siempre tuvo vocación de perdedora infeliz y aquel derroche de abundancia en el que se había convertido la vida de su hijo le daba cierta vergüenza, así que Pilar supo que no tuvo hijos, que una vez al año enviaba a alguien a por su madre y se la llevaba con él quince días a Mallorca, que invirtió en la construcción y en salas de cine, que conocía al Rey, que era feliz. Eso lo supo. Eso, y que era un hijo de la gran puta que la había abandonado de la manera más ruin y cobarde, que no había tenido el valor de contárselo él mismo, que seguramente nunca la había querido y tampoco había tenido intención de cumplir ninguna de sus promesas, que lo único que quería era acostarse con ella. Eso fue lo que supo Pilar. Lo demás, no.

¿Qué les faltó por saber? Pilar ignoró que Fermín encargó a su madre que le mantuviera al tanto de la vida de ella y que cada final de mes le enviaba un giro de cincuenta mil pesetas, una fortuna para la época, a Antonio Parrilla, Toni *el Paleta*, cincuenta mil pesetas como gratificación por unos informes que completaban lo que le contaba la mujer, que el día que se aprobó la Ley del Divorcio se fue solo a un bar y cogió una cogorza descomunal, primero contento porque podría separarse de su mujer y después desconsolado porque comprendió que nunca tendría valor para hacerlo, que le escribía cartas prácticamente a diario y que prácticamente a diario las rompía no sólo sin haberlas terminado, sino, casi siempre, sin haber escrito nada más que Querida Pilar, no sabes cuánto te quiero, que cada noche la soñó y que, a menudo, fantaseaba con la idea de que Elin muriese y pudiese recuperar el amor perdido. Y Fermín no supo que Pilar nunca dejó de pensar que le odiaba ni que le amaba, que seguía empecinada en recordarle, a veces con añoranza y a veces con desprecio, y que, a menudo, se preguntaba si esos sentimientos se mantenían vivos nada más que porque ella no los dejaba morir, porque prefería tener a alguien a quien odiar, alguien que le impidiera amar de verdad a otra persona, a Paco o a quien fuera, y que ese impedimento tenía como único propósito evitar que sufriera de nuevo.

Junio

La mujer que va a morir y no lo sabe, o quizá sí, siempre pensó que su cabeza era una especie de basurero lleno de desperdicios en el que de vez en cuando, muy de vez en cuando, aparecía algo que merecía la pena salvar. Una conversación, un sabor, un color, un silencio. Nada. Pero a veces, no. A veces, como en esas historias de barrenderos que se llevan a casa los trastos que la gente tira porque no les dan importancia aunque aún valgan y de pronto se encuentran un bebé vivo entre los restos, ella también rescataba de entre la inmundicia de su cabeza un recuerdo bueno, una conversación, un sabor, un color. Todo.

Buenos recuerdos, malos recuerdos y recuerdos tontos convivían amontonados, estorbándose, robándose el espacio. A ella le habría gustado olvidarse de las absurdeces para tener más sitio para las cosas importantes, pero no había manera de sacarse de la cabeza, por ejemplo, que al poco de empezar tercero de bachillerato un día su madre preparó para comer espaguetis a la carbonara y que según entraba por la puerta de su casa le dijo ven a la cocina y echa tú la nata que yo no tengo cuerpo para nada más. De no tener eso dentro, quizá recordaría que ese mismo día su madre apenas comió, que estuvo abatida, que se fue a su habitación en cuanto levantaron la mesa, que salió del cuarto con los ojos rojos, que se peleó con su padre, que luego su padre entró en el baño y tardó tanto en salir que ella pensó que se estaba suicidando y sintió tanto terror por si le perdía que golpeó la puerta con todas sus fuerzas y le suplicó que abriera y él salió sonriendo con mirada triste y dijo ay, hija, es que me gusta cagar a lo rico, y entonces fue ella la que se contagió por el ambiente y se enfadó y se encerró en su habitación dando un portazo.

Todo eso no lo recuerda y, como no lo recuerda, no puede ni imaginar qué fue lo que le pasó a su madre para no querer echar la nata, para llorar, para perder por un instante las ganas de vivir. Seguramente pensó que fue por algo que ella hizo o por algo que dejó de hacer, porque los hijos tienden siempre a responsabilizarse de los estados de ánimo de los padres y de atribuirse equivocadamente sus alegrías y sus tristezas. Pero, al no recordarlo, tampoco sabe que su padre no se tomó su tiempo para hacer de vientre, sino para aguantarse las ganas de llorar y de zarandear a su mujer, que ni siquiera veinticuatro años después de que aquel cabrón le hubo destrozado la vida había sido capaz de olvidarle. María José no sabe que a su padre, que creía saberlo todo, en realidad le pasaba como a casi todo el mundo y no sabía nada: él estaba convencido de que un mal recuerdo le había amargado el día (una vez más), y no podía ni imaginar que Pilar acababa de perder el hijo que Fermín engendró la tarde plomiza en la que se tropezaron (ella creía que por casualidad) en la sección de perfumes de El Corte Inglés y se le cumplió el sueño de su vida. Señor. Por favor te lo pido. Que me encuentre con Fermín.

Una noche, ya separada de Joaquín, María José cogió un folio para entretener el insomnio y lo dividió en tres columnas. En una apuntó que recordaba lo de los espaguetis a la carbonara, y recordaba a su madre abriendo el grifo del lavabo en la consulta del médico para que a ella le entrasen ganas de hacer pis para hacerle un análisis de orina, y que entre los dientes de Joaquín se había quedado pegada la cáscara de una pipa sin que ella se atreviera a decírselo, y que la primera pilila que vio fue en el cine, y que notó cómo se ponía roja como un tomate en la oscuridad de la sala y se sintió absurda como todos los recuerdos absurdos que estaba anotando en esa columna, en la que también había estribillos de canciones, títulos de películas y nombres de compañeras de clase y números de teléfono y matrículas de coche.

En otra, la de los malos, escribió unas cuantas broncas de ella con su madre, de su padre con su madre, de su madre con el mundo y de ella con Joaquín, y escribió todas las veces que se acordaba de Joaquín pasando de ella, de Joaquín liándose con otras, de Joaquín enrollándose con ella cuando las demás le fallaban, de su boda con Joaquín, una boda triste que ella se esforzó en hacer parecer alegre.

La tercera columna fue para los recuerdos buenos. Ella es pequeña y su madre finge ser un gato mientras sube la escalera maullando, ella es pequeña y finge ser su madre y su madre, que es feliz, finge ser la niña, y María José le dice a su madre que le ha traído un regalo,

161

que lo tiene en la cesta de la compra, y cuando la abre le da lo único que hay (una fregona), y su madre vuelve a ser su madre y la coge en brazos y la lanza hacia el techo pero sin soltarla del todo, y luego la acerca a su pecho y le dice cuantísimo la quiere.

Su padre vuelve de uno de sus viajes a Polonia con una de esas botellas de vodka que tienen un búfalo en la etiqueta (Zubrówka) y se lo beben juntos y a escondidas y a la hora de la cena les entra la risa floja porque están borrachos perdidos y su madre se enfada y ellos estallan en una carcajada y su madre se enfada más todavía.

Ella y Marga van al cine y se equivocan de sala y se meten en una donde ponen *Babe, el cerdito valiente*, pero se quedan de todas formas, y cuando encienden las luces ella está a punto de echarse a llorar y le dice a su amiga yo soy *Babe*, y Marga la coge de la mano y le dice ya lo sé, tía, ya lo sé.

Joaquín y ella se van a merendar a un bar que se llama La Pantera Rosa y cuando llega la hora de pagar se dan cuenta de que no tienen bastante dinero y dejan a deber la cuenta y, muertos de la risa y de la vergüenza, suben a casa de Joaquín y cuando entran descubren que no hay nadie y empiezan a besarse en la habitación, y se acarician y se quitan la ropa y hacen el amor por primera vez para ella y por decimonovena (por lo menos) para él. A ella le duele pero no se queja. Él le da un beso en la frente al terminar.

Joaquín y ella pasan un fin de semana de invierno en Cadaqués, y no hay nadie y todo el pueblo es para ellos, y pasean cogidos de la mano y a María José le parece que Joaquín la quiere, y ven una barca medio hundida en mitad de la bahía y Joaquín le dice hazme una foto en la que salga el barco (el barquito, dice) para que no se me olvide que yo sin ti estaría igual que él, y ella le hace la foto y, como no sabe qué decir, no dice nada, pero es tan inmensamente feliz que tiene ganas de llorar y le duele la garganta por el esfuerzo de contenerse.

Aquella noche que no pudo conciliar el sueño, María José dejó de escribir con la intención de seguir con la tarea más adelante porque intuía que a esa noche de insomnio le seguirían otras, y porque no sabía que a los pocos días un hombre que era soltero, abogado, que tenía cuarenta y dos años y se llamaba Agustí Bayarri y que dejó afligidos padres, tristes hermanos y apenados sobrinos, se saltaría la mediana de la autovía y se la llevaría por delante a ella y a sus recuerdos, quién sabe si porque se le reventó una rueda o porque le falló el motor o porque se le bloqueó el volante o porque se confundió de pedal. Fuera lo que fuese lo que le pasó a Agustí, María José no pudo completar la lista. No puede escribir que la profesora de física médica tose para disimular cada vez que se le escapa un pedo y que no es capaz de decirlo (pedo) y siempre dice perdonen, se me ha escapado una ventosidad. Tampoco puede escribir que le han salido úlceras en la espalda y que los dedos se le están empezando a atrofiar. Tampoco puede escribir que sus padres están más cerca de lo que creen porque los dos se refugian en el mismo rincón (la ventana) cuando están muy tristes o cuando algo los incomoda o cuando quieren ignorar a la profesora o a sus visitas. Tampoco escribe que Joaquín va a visitarla casi tres meses después de haber tenido el accidente, aunque de haber podido hacerlo, no habría sabido en qué columna colocar todos esos recuerdos nuevos.

Su padre leía el periódico con aire distraído cuando él entró. Antes, había estado contándole noticias, unas tristes (vaya, si se ha muerto el Fary de cáncer de pulmón) y otras más alegres (anda, Bisbal actúa en la plaza de toros, con lo que a ti te gustaba «Operación Triunfo»), pero paró la lectura en voz alta porque no le apetecía que su hija oyera que a una mujer de Gandía la habían condenado a diecisiete años y medio de cárcel por tirar por el balcón a su nieto de dos porque no le dejaba dormir la siesta. En el diario iba la foto de la abuela, con un vestido blanco de lunares negros. A Paco, que casi nunca le hervía la sangre, esa mañana se le calentó hasta casi alcanzar el punto de ebullición. Acarició la mano de María José como casi siempre (con lágrimas en los ojos), y cuando la profesora de física médica le preguntó que por qué no seguía leyendo, quiso responderle que porque no le salía de los huevos, pero se contuvo porque pensó: *a*) que no quería ser maleducado, *b*) que la profesora no tenía la culpa de que aquella mujer fuese una hija de la grandísima puta a la que él mismo arrojaría al vacío desde el piso más alto del mundo, y *c*) porque tampoco era justo que pagase con ella ese dolor tan grande, esa angustia, esa pena inmensa de saber que su niña (que cada vez que se comía una naranja la pelaba con cuidado para que la piel no se rompiera y luego la tiraba al suelo con fuerza para ver en cuántos trozos se partía y después se los mostraba orgullosa y le decía ¿lo ves papá?, siempre me sale que voy a tener tres hijas) no le daría ninguno de los tres nietos que habían predicho los cítricos.

Por esos motivos guardó silencio y se levantó y se fue hacia la ventana para llorar, un poco, y cuando terminó se sentó otra vez en el sillón y fingió que leía el periódico (de ahí su aire distraído), pero mientras acariciaba la muñeca de María José no se quitaba de la cabeza lo injusta y dura y perra que era la vida, un pensamiento que se multiplicó por mil cuando sonaron unos golpecitos en la puerta y se oyó una voz que preguntaba ¿se puede?, y sin aguardar respuesta entró Joaquín.

Paco dobló el diario con cuidado e intentó mirar a su ex yerno con desprecio, pero no le salió. Joaquín, que estaba más delgado y parecía muy triste, tampoco tenía la culpa.

—Paco...

—Joaquín...

—He venido por la mañana porque sé que estás tú. Con Pilar no habría sido capaz de entrar.

Paco sonrió y quiso contestarle algo hiriente o por lo menos irónico, como habría hecho su mujer en caso de estar allí, pero al cabo de unos minutos se rindió a guardar silencio porque no se le ocurría nada que decir.

Joaquín se quedó sin palabras, literalmente, cuando supo que María José se estaba muriendo. Se lo dijo Carlos. Le llamó y le propuso tomar esa cerveza que llevaban semanas aplazando, y aunque a Joaquín nunca le había caído especialmente bien acudió a la cita con el marido de Marga porque estaba completamente convencido de que le esperaba un mensaje de María José pidiéndole perdón, suplicándole otra oportunidad, reconociendo que había sido una estúpida al querer separarse de él cuando todavía no llevaban ni un año casados y él acababa de darse cuenta de que se estaba enamorando de ella. ¿Cómo lo había sabido, después de tanto tiempo? No era por la pérdida, porque para él perder a María José era una posibilidad más remota que ser uno de los primeros turistas de la luna (algo que, por cierto, le apetecía cantidad), sino por la cercanía de ella, cada día.

Nunca se despertaba de mal humor, cualquier cambio de planes le resultaba agradable, no ponía problemas a nada, le facilitaba la vida, y olía bien, y cocinaba mejor cada día, y le complacía, y no le hacía reproches, y le comprendía, y tenía ganas de hacer el amor siempre que a él le apetecía, y se reía de sus chistes, y le caían bien sus amigos, y le ponía buena cara a su madre, y le animaba a que mantuviese su independencia, a que saliese a cenar los miércoles con los del gimnasio, los jueves con los del fútbol, los viernes con los del instituto y algún sábado con los primos por parte de padre, si se terciaba. Nada distinto de todos aquellos años en los que ella le había adorado, porque era así, aunque sonase pedante: le había adorado, no había otra forma de decirlo, le había querido total y absurdamente, tal como él era, consciente de que él ni podía ni quería corresponderla, de que tanto amor la volvía insoportable y de que estaba con ella porque cuando quiso darse cuenta ya no había nadie más. Así era, tampoco había otra forma de decirlo: todas se habían hartado de él, de que no madurase, de que no le gustase trabajar, de que fuese un egoísta, de que no quisiera comprometerse, de que a todas les pusiera los cuernos, de que ninguna de sus promesas hubiera cuajado y a los treinta fuese ya un amargado. Las novias le duraban poco. No le importaba porque a todas las dejaba él pero, cuando quiso darse cuenta, algo había cambiado y a su lado sólo estaba María José.

Cuando se casó con ella no la quería. Cuando ella le dejó, el mundo se abrió bajo sus pies. Estaban viendo una película en televisión (*Gigoló*). Andy García hacía de escritor fracasado que se prostituía para mantener a su familia, y en una de las escenas, el marido de una de sus clientas le previene contra las mujeres que te aman tal como eres porque eso hace que no te esfuerces en mejorar. María José tosió, se levantó del sofá, se sirvió agua en un vaso, se la bebió, se sentó, le miró, bajó la mirada, y cuando le miró de nuevo ya estaba llorando. Joaquín estuvo tentado de no preguntarle qué le pasaba, en parte porque no le apetecía saberlo y en parte porque creyó que ella creía que él le había puesto los cuernos (que no era cierto, al menos esa semana) y se sentía identificada con la mujer del gigoló (que no tenía ni idea de lo que hacía su marido y encima le compraba trajes buenos), pero finalmente le pudo la cortesía y le preguntó ¿qué te pasa?, ¿por qué lloras?

María José tardó unos instantes en responder, y cuando Joaquín, que era corto de memoria, ya no se acordaba ni de las lágrimas ni de la pregunta y andaba pensando en qué ropa se pondría al día siguiente para ir a trabajar, ella le miró fijamente y le dijo que ya no te quiero, eso es lo que me pasa, que ya no te quiero y no quiero perder contigo ni un solo día más. Joaquín se quedó en estado de *shock* y fue incapaz de discutirle la decisión, de pelear para que se quedara, de tratar de convencerla de que estaba en un error. Quiso decirle me he acostado con varias compañeras de trabajo y más de un viernes me he enrollado con la primera que se me ha puesto a tiro, y lo de los primos por parte de padre es una mentira para dejarte en casa. Quiso decirle yo nunca he estado enamorado de ti. Quiso decirle me casé contigo por no quedarme solo. Quiso decirle pues yo a ti tampoco te quiero. Pero olía tan bien, incluso esa noche, que le estaba abandonando y partiendo el corazón, que quiso decirle no te vayas, quiso decirle no me dejes y quédate conmigo, no me abandones y déjame que me enamore del todo porque ya me queda poco, y quiso decirle he cambiado y voy a respetarte y a valorarte y a decirte todo lo que siento por ti, y cambiaré más todavía y haré lo que me pidas, por favor, quiso decirle por favor, no te vayas.

Pero se quedó callado. ¿Por qué? Todavía no tiene respuesta para esa pregunta. Se quedó sin palabras, seguramente. A quien quiso escucharle le contó entonces que el disgusto le hizo perder la voz, pero cuando fue a tomar aquella cerveza con Carlos, esa cerveza que a él se le antojó una treta de su ex mujer para intentar una reconciliación, se dio cuenta de su error.

—¿Qué tal va todo? —le preguntó mientras se sentaba a su lado.

Carlos cogió su vaso y bebió un trago antes de contestar.

—María José se está muriendo.

Y entonces, Joaquín perdió la voz de verdad, y también la fuerza en los músculos, y también el control de los esfínteres, y también el interés por la vida. Los médicos le diagnosticaron depresión y afonía histérica, le dieron la baja y le recomendaron paciencia, sicólogos y acupuntura, pero nada de eso daba resultado.

En la terapia, una sicóloga joven que se llamaba Felicidad, pero que para no dar por el culo a los pacientes que acudían a su consulta tristes y sin ánimo para vivir insistía en que la llamasen Feli, le repetía que él no era culpable de nada, que los accidentes son una fatalidad de la que nadie es responsable, que no había nada en el mundo que él pudiera haber hecho para que María José no cogiese el coche esa mañana para ir a trabajar. Joaquín, que no podía contestarle, cabeceaba y se preguntaba qué habría pasado si la hubiera querido más o si la hubiera querido antes o si la hubiera querido mejor.

Dos veces por semana se sentaba frente a Feli sin pronunciar palabra. Para hacerse entender, le acompañaba su madre y ejercía de portavoz: no ha comido, no ha dormido, no se ha levantado del sofá. Joaquín asistía como un convidado de piedra, como si la cosa no fuera con él. Feli le hacía preguntas. Él a veces la miraba y a veces no, a veces parecía estar a punto de contestarle y a veces no, a veces parecía que iba a echarse a llorar y a veces no, y daba la sensación de que había conseguido el viejo sueño de mantener la mente en blanco, pero no era verdad porque siempre tenía en la cabeza a María José, a veces muerta, con la misma cantinela (si la hubiera querido más, si la hubiera querido antes, si la hubiera querido bien), y a veces viva (María José en una playa ofreciéndole una lata de refresco, María José en el supermercado preguntándole si quería mostaza dulce o de Dijon, María José llorando en el sofá diciéndole que ya no le amaba). Sin saberlo, sentía lo mismo que su ex mujer había sentido poco antes de empezar a morirse (que su cabeza era un estercolero) y, como ella, lamentaba que los recuerdos tontos le robaran espacio a los importantes. Entonces era cuando miraba a Feli y parecía que iba a hablar y parecía que iba a llorar, y aunque quería hacerlo (hablar y llorar) más que nada en este mundo no conseguía ninguna de las dos cosas.

Una mañana salió de casa aprovechando que su madre había ido a por el pan. Normalmente se levantaba de la cama para ir al sofá y del sofá para ir a la cama, pero ese día cambió la rutina porque había decidido quitarse la vida. Tenía planeado ir hasta Aín en el coche de su padre, parar en la plaza del pueblo y tomarse uno de esos carajillos Espadán con coñac quemado y un grano de café dando vueltas por el vaso, para infundirse valor, y luego coger el desvío hasta Almedíjar, una carretera estrecha y tortuosa de diez kilómetros que hicieron llorar de miedo a María José aquella mañana que él se empeñó en ir a una feria medieval porque le habían dicho que echaban a volar halcones en libertad. Cuando llegaron a Almedíjar, los pájaros estaban encadenados, y María José se pasó la mañana vomitando. Ahí, justo ahí, que había sido tan cabrón y que no le había preguntado a su mujer ni una sola vez si se encontraba mejor, quería terminar con todo, pero pensó que primero tendría que despedirse de ella aunque fuera en silencio.

De camino al Sánchez Díaz-Canel se perdió como todas las visitas, y provocó el enfado de los cartujos porque se paró frente a ellos mudo como una piedra y estuvo a punto de atropellar un conejo, pero al contrario que los demás, no entró en el hospital. Se quedó dentro del coche, en el aparcamiento, viendo pasar el día y la gente, y cuando se dio cuenta ya no eran horas de suicidarse. Volvió a casa y en el patio le esperaban un corrillo de vecinos, un coche patrulla de la policía local y una ambulancia del SAMU que había ido para atender a la madre, víctima de una crisis de ansiedad.

Feli le recomendó Adofen y le animó a visitar a María José, a enfrentarse con la realidad, a asumir la pérdida, a despedirse, a seguir viviendo, pero lo máximo que Joaquín pudo hacer fue acudir a diario al aparcamiento y esperar dentro del coche. ¿Qué era lo que esperaba? Feli se lo preguntaba en cada visita. Joaquín se encogía de hombros. Nada, probablemente. Se conformaba con mirar el trajín de las visitas yendo y viniendo, con descubrir a Paco, cabizbajo, y a Pilar, entristecida, entrar y salir del hospital a diario, y a Marga una vez por semana. Se alegraba de verlos, pero no por verlos, sino porque eso significaba que María José seguía allí. ¿Cuándo entrarás? Feli se lo preguntaba también en cada visita, y en cada visita Joaquín se encogía de hombros. ¿De verdad estás así por ella?, le preguntó una tarde. Joaquín la miró y se puso a llorar, amargamente, y cuando terminó de llorar la miró de nuevo y le dijo sí. Ese mismo día, un cáncer de pulmón se llevó al Fary y, al día siguiente, su ex suegro se lo contaría a su ex mujer justo antes de que él, con su voz recién estrenada, entrase por fin en la habitación donde ella se estaba muriendo y no lo sabía, o quizá sí.

El día que Pilar supo que Fermín había muerto también ella se murió. Un poco. Tiempo después entendió que eso es lo que pasa cuando uno se muere por dentro y por fuera se sigue viviendo. Pilar se murió así, un poco, sin que nadie se diera ni cuenta ni de que estaba más triste, más cansada, de que tenía menos ganas de pelear, de que estaba muerta, en fin.

Pilar había creído estar muerta muchas veces, como la cigarra que cantaba María Dolores Pradera. La primera, cuando supo que Fermín iba a casarse con otra. La segunda, cuando se dio cuenta de que había cometido un error irreparable al casarse con Paco. La tercera, la primera vez que María José le dijo que la odiaba. La cuarta, cuando Fermín se sentó en el borde de la cama de aquel hotel y se puso los calcetines y se anudó el cordón de los zapatos y ella comprendió al verle así, con la espalda encorvada, que no iba a dejar a su mujer ni a pedirle que dejase a Paco para que empezaran una vida juntos. La quinta, cuando llegó ese día, tan tarde, a su casa y Paco estaba a punto de llamar a los hospitales por si le había pasado algo. La sexta ocurrió tres meses después, un mediodía que estaba preparando espaguetis a la carbonara y sintió un dolor agudo en el abdomen y comprendió que había perdido el hijo que llevaba en las entrañas, ese que de haber nacido hubiera sido igual que su padre, igual que Fermín. De la séptima, la octava, la novena, la décima, la undécima y las sucesivas había olvidado los motivos, pero seguramente tenían que ver con las traiciones de la vida, en general protagonizadas por aquellos a los que tanto había amado y no habían sabido corresponderle.

Lo leyó en el periódico. Hubiera preferido enterarse en la calle, que se lo hubieran dicho. Un antiguo amigo, un conocido, un vecino, quien fuera. Hubiera preferido que alguien le brindase consuelo por esa muerte, no por el consuelo en sí, que a ella no le hacía falta entonces ni le había hecho falta nunca en la vida, sino porque ese consuelo, ese gesto, esa cercanía, la habría devuelto junto a él. Se hubiese sentido mejor, más unida al Fermín que se había muerto pero también más cerca del que había vivido, del que la besaba, del que había sido nada más que de ella. Sabemos lo que has perdido. Pero no. Nadie la miró con pena ni le dio el pésame ni le dijo sé cuánto le amaste ni lamentó con ella la ausencia irreparable ni le dio un abrazo ni le dijo lo siento, Pilar, lo siento mucho. Nadie supo que le había perdido igual que nadie supo que fue suyo una vez. Paco había subido el *Levante* y *Las Provincias* por la mañana porque quería leer las noticias sobre el entierro de los dieciocho trabajadores que habían muerto en el incendio del *Proof Spirit*.

Ella nunca le había visto así, tan apenado por alguien a quien no conocía, pero aquel accidente le había impactado. Llevaba dos días casi sin hablar de otro tema que no fuera el accidente. Pobre gente, decía todo el rato, y disimulaba alguna que otra lágrima mientras leía de pe a pa todo lo referente al funeral (que si habían acudido el príncipe Felipe y la infanta Elena, que si habían asistido más de seis mil personas, que si habían atendido setenta y tres lipotimias, etcétera). Así anduvo todo el día, leyendo el periódico, escuchando la radio, viendo la televisión y, de cuando en cuando, apartándose el llanto de la cara como si se le hubiera muerto alguien en el accidente, que hasta María José se lo dijo (joder, papá, no te lo tomes así, que te va a dar algo).

Pilar, que también estaba apenada por el suceso, esperó a la noche para leer el periódico en la cocina porque no quería reconocer delante de Paco que se parecía en algo a él, así que cuando su marido se fue a ver a Javier Sardá en «Moros y cristianos», ella se puso a repasar el *Levante*. Leyó, por supuesto, la información sobre el entierro y lloró, por descontado, con las fotos de la tragedia. Luego echó un vistazo a la cartelera porque quería ver en qué cine ponían esa película de Will Smith que le apetecía ver *Men in black*, y de ahí pasó rápidamente por las páginas de cultura, se saltó las de deportes y también las de comarcas y ojeó las de local con cierta desgana, porque ya se estaba cansando de leer y le estaba entrando sueño. Muchas veces se preguntó, después, qué hubiera pasado si hubiese cerrado el periódico entonces, con el primer bostezo, con las primeras ganas de irse a dormir.

Qué habría sido de ella si aún hubiese podido seguir esperando. Imaginando que algún día volviera a encontrarse con él, cuando menos lo esperase, como ya había sucedido aquella vez; que las cosas fueran diferentes, que Fermín volviese a por ella, dispuesto a hacerla feliz, a quererla la vida entera; que recuperaba la sonrisa, la alegría de vivir, que Fermín la llevara a conocer mundo, que le hiciera el amor por tercera vez, sin nervios, como la primera, y sin remordimientos como la segunda. Qué habría sido de mí si hubiese podido seguir soñando. Cientos de veces se lo preguntó. Pero nunca supo la respuesta. No supo si habría sido feliz o igual de desgraciada, si mantener la ilusión de la espera habría mejorado la vida de los que la rodeaban o si, a pesar de sus sueños, no habría hecho otra cosa más que amargársela.

Quién sabe qué sería de nosotros si no supiésemos lo que no queremos saber, eso también se lo preguntaba. Porque Pilar no quería saber que Fermín Bosch Estany, empresario valenciano afincado en Mallorca, había muerto a los cincuenta y siete años después de una dolorosa enfermedad que le había sido detectada cuatro meses antes. Eso no. No quería saber que el funeral lo había oficiado en la catedral Teodoro Úbeda, el obispo de Mallorca, y que lo habían concelebrado varios sacerdotes amigos personales del fallecido, que moría sin hijos y dejaba viuda a Elin Peyre, con la que llevaba casado más de treinta años. No quería saber que su corazón no se había detenido en el mismo momento que el de él, sino dos días más tarde y que, aun parado, ella estaría condenada a seguir viviendo en un mundo sin la esperanza de reencontrarse con él.

Al principio trató de actuar como si no lo hubiera sabido, como si Fermín aún viviera y ella pudiera seguir odiándole, y amándole, y esperándole, como le contaron que había hecho aquella prima de su madre cuyo marido no había vuelto de la guerra. Algunos del pueblo le dijeron que había estado preso en San Miguel de los Reyes y que allí se había muerto, pero unos decían que le habían fusilado y otros que se lo había llevado una pulmonía mal tratada.

Demasiadas muertes para un solo muerto, decía la prima, ese hombre está vivo y no le sale de los huevos volver. Un día recibió una carta de uno que decía que también había estado condenado a muerte con él. En la carta, llena de faltas de ortografía, le contaba que ambos se habían prometido que el que saliese vivo de aquel antiguo monasterio que habían convertido en cárcel le pondría el nombre del otro a su primer hijo. Le explicaba que él había sobrevivido y que su marido no, y por eso a su primogénito le había llamado Ángel, y le decía que también se habían comprometido a cuidar de la familia del que tuviera peor suerte, así que le ofrecía todo lo que tenía si ella lo necesitaba y le pedía perdón por brindarle ese apoyo tantos años después, pero que le habían podido el miedo y las ganas de cambiar de vida para sacar a los suyos adelante.

La prima de su madre, que tenía una hija y pasaba hambre día sí y día también, rompió la carta y luego la quemó, y a quien le preguntó le dijo que aquel hombre podía haberse equivocado de dirección, o de Ángel, o de viuda, que Ángeles había muchos y viudas más todavía, y que a ella nadie le había comunicado oficialmente nada del fusilamiento ni de otro tipo de muerte, así que no le quedaba más remedio que pensar que su marido se había ido a Rusia, o con otra, o a Rusia con otra, que era un hijo de la gran puta pero que estaba vivo. No quiso llevar luto, ni rehacer su vida, ni llorar a su hombre, y Pilar intentó comportarse como ella, por más que hasta ese momento nunca hubiera comprendido los motivos que habían llevado a la prima a negar la evidencia de aquella manera.

Nadie se dio cuenta de que se había muerto un poco, que es como se muere cuando se muere por dentro y por fuera se sigue viviendo como si no hubiera ocurrido nada. Pilar seguía haciendo más o menos lo de siempre. Se levantaba a las siete, preparaba el desayuno, se lo tomaba, arreglaba la casa, se duchaba, se peinaba, se maquillaba, se vestía, salía a comprar, preparaba la comida, atendía a las clientas, comía, recogía la cocina, atendía a las clientas, preparaba la cena, se la comía, veía un rato la tele, se desnudaba, se ponía el pijama, se iba a la cama, se dormía. Si Paco no estaba de viaje, se peleaba con él varias veces al día (porque había roncado, porque había entrado en el baño antes que ella, porque no la había esperado para desayunar, porque había cambiado de canal sin preguntarle, porque no había dicho que le gustaba la comida en la primera cucharada, porque no había sido suficientemente simpático con alguna clienta, porque había sido demasiado simpático con alguna clienta, porque no quería cenar, porque le había reprochado que le hiciera tantos reproches, porque parecía que sólo se alegraba de ver a María José, etcétera). Si Paco estaba yendo o viniendo de Polonia, se peleaba con él una vez, cuando la llamaba por teléfono (porque la llamaba pronto, porque la llamaba tarde, porque la llamaba para molestarla, porque la llamaba para contarle sus problemas y no para preguntarle por los suyos, porque la llamaba sólo para saber de María José, porque la había llamado aunque el día anterior le había dicho que no la llamara, porque llevaba dos días sin llamar sólo porque le había dicho que no la llamara, etcétera).

Con María José también se peleaba, antes de irse a dormir, en parte por costumbre y en parte porque era el único rato que la veía con la suficiente calma porque su hija tenía el hábito de dejar que las sábanas se le pegaran y salía de casa a toda prisa, sin desayunar y sin maquillar, y terminaba de arreglarse en el coche o en el lavabo de la asesoría, para disgusto de su madre, que se quejaba de que nunca le hiciera caso en temas de belleza. A María José le recriminaba eso, que no se pintase, que fuese hecha una facha, que siguiese viviendo en casa, que pensase en irse de casa, que usase la casa como una pensión, que no fuese cariñosa con ella, que sólo quisiera a su padre, que no llevase a sus amigos a casa, que llevase a sus amigos a casa, que no hablase con ella, que cuando hablaba con ella no fuera más que para pelear, etcétera.

Cuando se murió un poco, por dentro, esa particular rutina cambió. Hacía lo mismo, pero era otra Pilar. No tenía ganas de reñir con nadie, mucho menos con su marido y su hija. Es más, lo que quería era que la abrazasen, que la quisieran, que la sacaran de allí, que la zarandeasen y le dijeran estás viva, coño, pero no sabía cómo pedírselo a ninguno de los dos.

Se pasaba el rato canturreando. Tantas veces me mataron, tantas veces me morí, sin embargo estoy aquí, resucitando. Una y otra vez, pero al contrario que la letra de la canción, Pilar no podía darles las gracias a la desgracia ni a la mano con el puñal porque a ella no la habían matado mal, y sabía que ni al cabo de un año ni de mil que viviera regresaría de debajo de la tierra como regresaba aquel sobreviviente de la guerra, y casi siempre se le quebraba la voz en la última estrofa (tantas veces te mataron, tantas resucitarás, tantas noches pasarás desesperando) y no podía llegar al final (a la hora del naufragio y de la oscuridad alguien te rescatará para ir cantando) porque ahora ya sabía que aquello no pasaría jamás. Tanto cantaba aquella canción que un día María José se acercó a ella y le preguntó mamá, ¿estás bien? Quiso decirle que sí pero también quiso decirle que no. Quiso decirle que no le pasaba nada pero también quiso decirle que le había pasado todo. Fermín se ha muerto. Quiso decirlo, pero las palabras se le quedaron atravesadas en la garganta. Fermín se ha muerto, Fermín se ha muerto, Fermín se ha muerto. Quiso decírselo, pero no pudo. Se puso a llorar, primero despacio, en silencio; luego empezó a hacer ruido al sorberse las lágrimas; luego siguió haciendo más ruido al lamentarse; luego intentó hablar pero sólo hizo más ruido al emitir palabras ininteligibles; luego vinieron más ruido: toses, algún estremecimiento, escalofríos, mocos, más toses, y al final se apartó de su hija, se sonó la nariz y le dijo a tu padre ni una palabra de esto, y se encerró en su cuarto para seguir llorando porque comprendió que ella no tenía el espíritu de aquella prima de su madre. Fermín se había muerto, y ella lo sabía aunque fuera de casualidad. Fermín había vuelto a hacerlo, se había ido sin ella, había vuelto a abandonarla, a dejarla sola en un mundo sin él. Cabrón.

Lloraba a escondidas, y a escondidas buscó en la guía telefónica el nombre de viejos amigos, de familiares. Pero no dio con nadie. De haberlos encontrado al otro lado del teléfono, tampoco habría sabido qué decirles, qué preguntarles. ¿Qué quería saber, ahora que ya no importaba? ¿Que Fermín había sido infeliz?, ¿que no la había olvidado?, ¿que se arrepentía de haber hecho lo que hizo? O tal vez, todo lo contrario: que había tenido una vida plena, que no había vuelto a recordarla, que nunca le pesaron las decisiones tomadas, que la dejaba libre para disfrutar de lo que tenía, de su marido, de su hija, de esa vida que vivía como si fuera prestada.

Se acercó hasta su antiguo barrio para llorar a pierna suelta en los lugares en los que se amaron y en los que ya no quedaba nada de lo que fueron, ninguna huella.

Donde estaba el bar en el que Fermín pasaba las mañanas como un haragán había un local que se vendía ó alquilaba (así, con el acento en la o), y que antes había sido una peluquería (todavía había fotografías de peinados en los cristales) y una tienda de todo a un euro (todavía conservaba el rótulo sobre la puerta). La tienda del Zahonero se había reconvertido en la entrada a un edificio de viviendas. Su antigua casa seguía siendo su antigua casa, pero enfrente habían puesto un parque y la finca estaba pintada toda de color verde menos el interior de los balcones y el marco de las ventanas, que los habían dejado blancos.

En el piso de Fermín no había nada, literalmente, sólo un solar vallado que anunciaba la construcción de diez apartamentos de una, dos y tres habitaciones y dos áticos con acabados de lujo. Cogió un taxi y le dio la dirección de la academia, y cuando comprobó que seguía abierta y que a sus puertas remoloneaban jóvenes que no tenían mucho que ver con la que ella había sido, le indicó al taxista que fuese por la calle de la Paz, y de ahí a la calle San Vicente, a De las Barcas, a Navarro Reverter, y pasaron por delante de la Ciudad de la Justicia, y del Museo Príncipe Felipe, y del Oceanogràfic, que entonces no existían, y le pidió que fuesen hasta la Albufera, y el taxista le preguntó que si quería ir a un sitio en concreto y ella miró a los ojos que la miraban desde el retrovisor y quiso contestarle que había pensado que si hacía el mismo camino que entonces tal vez sería posible colarse por uno de esos agujeros del tiempo y volver así a estar dentro de aquel Renault 4 y volver así a ver la mirada de Fermín, y volver a estar vivos, los dos.

El taxista se impacientaba. ¿Adónde quiere que la lleve, señora?, y ella quiso decirle pues ¿adónde voy a querer, patán?, a ese agujero del tiempo para vivir eternamente en aquella tarde en la que me agarraba al bolso como si fuera el bolso lo que Fermín me iba a robar, pero la mirada del retrovisor, fría, implacable, tan ajena a su drama, hizo que le dijera al Sidi Saler.

Por la carretera reconoció el punto exacto en el que Fermín giró a la derecha. No le costó trabajo. Muchas veces había hecho el mismo camino, con Paco al lado y con María José detrás cuando iban a la playa, todos los santos domingos del verano. Su marido siempre quería ir a la Malvarrosa, que era más bonita y estaba más cerca y no tenían que salir de casa a las ocho de la mañana para no pillar cola y no se tiraban horas dentro del coche comidos por los mosquitos y quemados por el sol cuando volvían a casa, porque la caravana era inevitable salieran a la hora que salieran, pero ella insistía en que no, vamos a El Perelló, que me gusta más, y enfilaban la carretera estrecha, sombreada por los árboles que parecían abrazarse en las copas, a la derecha la Albufera, a la izquierda la dehesa de El Saler. En el asiento de atrás,

182

María José y Marga se pasaban el viaje cuchicheando en voz baja. El coche olía a tortilla de patatas y al ajo de la ensalada de tomate, y se oía el tintineo de las botellas de agua y de cerveza que chocaban entre sí dentro de la nevera portátil.

Paco cogía el volante con las dos manos y canturreaba cualquier cosa y se interrumpía para comentar algo sobre el paisaje, sobre lo bonita que era la carretera, sobre las parejas que iban a darse el lote, y le guiñaba el ojo a su hija y le decía pero que no me entere yo de que venís vosotras. Ella se giraba y le miraba y le veía mover los labios e intuía que le estaba hablando, pero no le contestaba porque estaba en otro viaje, en otro coche, en otra piel, en otra vida.

En una vida feliz que ya había acabado pero que al mismo tiempo le parecía estar viendo por la ventanilla, como si en el coche de delante, o en el de detrás, o en ese que adelantaban, fueran ella y Fermín, nerviosos, asustados, excitados, como aquella vez. Ahí era adonde quería que la llevase el taxista, al punto exacto en el que las promesas todavía podían cumplirse, pero el coche se detuvo en la puerta del hotel y la devolvió a la ingrata realidad. Entró y se fue derecha al bar, se pidió una cerveza, que no le gustaba pero que era lo que tomaba él cuando estaba con ella, se la bebió, se pidió otra, se la bebió, y otra más, y luego otra y otra, y se dejó la última a medias y volvió a casa borracha como una cuba y estuvo llorando y vomitando toda la noche. Nadie se dio cuenta.

Paco no sabe cuándo se dio cuenta de que todo había terminado, y a veces le mortifica la idea de que no lo sabe porque no hubo un momento concreto en el que todo se fuera a la mierda. Quizá hubiese sido más fácil.

Tal vez encontrarla con otro al volver de un viaje, como le pasó a un compañero, que cambió el itinerario con otro para darle una sorpresa a su mujer y el sorprendido fue él cuando abrió la puerta del dormitorio y se topó con su mujer a cuatro patas atravesada en la cama, con la cara hacia el espejo del armario y el culo hacia el cabezal, y con un fulano que la cogía por los pelos mientras la cabalgaba. La mujer, que se llamaba Tere y hacía unas croquetas cojonudas y mantenía la casa como los chorros del oro y criaba a dos gemelas que habían llegado sin avisar cuando todavía no pensaban en casarse, tenía la boca abierta y los ojos cerrados, así que no vio a su marido, que se llamaba Gonzalo y se comía las croquetas aunque no siempre estuvieran cojonudas y se deslomaba en el camión y se desvivía por las gemelas, apoyado en la puerta para no caerse.

El fulano, que se llamaba Raúl y era el logopeda de una de las gemelas y no tenía ninguna virtud digna de mención aparte de estar como un queso y llevar de cabeza a más de una madre, detuvo el movimiento de sus caderas y soltó del pelo a Tere. Sin abrir los ojos, ella le preguntó pero ¿por qué paras?, y sin esperar la respuesta le ordenó no, no la saques, no la saques, pero Raúl no sólo la sacó, sino que se bajó de la cama y trató de vestirse atropelladamente. Tere abrió los ojos y al ver a su marido tuvo un desmayo que la mantuvo inconsciente un buen rato, el tiempo suficiente para que Raúl se marchase de la casa sin decir ni una palabra (y eso que, siendo como era logopeda diplomado, conocía unas cuantas para salir del paso) y Gonzalo la metiese bajo las sábanas y sintiese cómo el suelo se abría bajo sus pies. Se separaron, claro. No al principio, porque Gonzalo estaba profundamente enamorado de su mujer, no sólo por las croquetas ni por la limpieza ni por las niñas.

La quería porque tenían el mismo sentido del humor, y porque les gustaban las mismas películas, y porque la conoció siendo una cría y habían crecido juntos, y porque habían compartido cosas buenas y habían superado las malas, como cuando a ella le detectaron células cancerígenas en el colon y le hicieron una operación preventiva que los mantuvo acojonados más de un año, o como cuando a él le habían despedido de su trabajo con las gemelas recién nacidas, y la quería porque, aunque discutían por chorradas, estaban de acuerdo en las cosas importantes, como la educación de las crías, la importancia del ahorro en la economía doméstica, la lealtad o el amor, y porque los dos soñaban con un futuro parecido, o eso creía él, hasta que la pilló haciendo el perrito con el logopeda.

Esa imagen volvía a él una y otra vez, de día, de noche, mientras conducía, cuando estaba con Lara y Laura (las gemelas) en el parque, en una cena, en mitad de una película. Tere le juraba que nunca antes había pasado; le decía que se sentía sola, fea, poco deseada; le confesaba que se había llevado a la cama a Raúl para ser mejor amante con él; le pedía que fuesen a un terapeuta que los ayudase, y Gonzalo zanjaba tanta palabrería con un exabrupto: sí, y que te lo folles también a él. Lo intentaron poco tiempo, quizá un mes. Una madrugada, a eso de las tres, la despertó y le dijo que no aguantaba más, que eran todavía jóvenes, que podían rehacer sus vidas, que ya no era capaz de amarla y que quería el divorcio.

En contra de lo que tenía pensado, Gonzalo no se repuso. Desconfiaba de las mujeres, veía poco a sus hijas, bebía por los codos y se aficionó a ir de putas y a contar la historia de sus cuernos en cada cogorza hasta que en una de ésas se metió con la novia de uno que era de una banda y le partió el corazón, esta vez de verdad, de un navajazo. Y fin de una vida que habría sido perfecta si no se le hubiese metido en la cabeza cambiar aquel viaje para sorprender a su mujer.

Pero, aun así, aun sabiendo todo lo que sabía, aun habiendo llorado como nadie en el funeral de Gonzalo, Paco hubiera preferido saber que todo se había ido a la mierda un día concreto, después de una discusión en la que se habla más de la cuenta y luego no se puede dar marcha atrás, al descubrir a su mujer pegando un polvo con otro.

Era consciente de que pensaba eso como el que cree que es mejor morir de una enfermedad larga para poder despedirse de los suyos, o el que dice lo contrario, que es mejor morir de repente para no enterarse de nada. Siempre quieres lo que no te pasa, eso lo sabía. Pero en su caso, lo que no le había pasado no era sólo no haber pillado a Pilar en la cama con otro. Qué va. Lo suyo era mucho más grave: a él no se le terminó nada porque nunca tuvo nada, y lo que más le reconcomía era la certeza de haber sabido desde el principio que lo único que tenía era el sueño absurdo de que ella le amase. Pero a Paco le gustaba pensar que era un poco como Gandhi, un soñador práctico cuyos sueños no eran bagatelas en el aire porque lo que quería era que se hicieran realidad. ¿Con qué soñaba Paco? Con nada del otro mundo: con que su mujer le quisiera como había querido a ese otro, ese al que no conocía ni falta que le hacía.

Se lo imaginaba como a Alain Delon haciendo de Rocco en *Rocco y sus hermanos*, alto, moreno, con los ojos azules, con los hombros fuertes, con la voz grave, tierno y traidor, delincuente, hijo de puta, cabrón y medio idiota, porque había que ser muy estúpido para dejar pasar a una mujer como Pilar. A veces pensaba que se había metido en un lío y estaba en la cárcel, otras fantaseaba con la idea de que hubiera muerto en una pelea, y muchas noches se despertaba angustiado porque había soñado que regresaba a por Pilar y ella se iba detrás de él y lo dejaba solo con María José o, peor aún, se la llevaba.

Esa idea lo mantenía en vela y le causaba dolor en el pecho, justo donde estaba el corazón. La primera vez pensó que se moría, y tan grande era su infelicidad que, cuando se dio cuenta de que no era un infarto, sólo se alegró de seguir vivo por su hija, pero al cabo del tiempo ni siquiera la sonrisa y la complicidad de María José le servían de mucho. Se preguntaba para qué mierda estaba él en este mundo si lo único que tenía era infelicidad, lo mirara por donde lo mirase. Se hizo esa pregunta una y otra vez (¿qué pinto yo aquí?), y la respuesta le aterraba y le tranquilizaba, porque no pintaba nada. La certeza de que el mundo seguiría girando sin él lo mismo que giraba con él dentro le daba pena, pero también ganas de bajarse de esa noria absurda. Miraba hacia atrás, y si se preguntaba si había sido feliz alguna vez, la respuesta tampoco contribuía a que quisiera quedarse. Sí. Había sido un padre feliz, pero un hombre desgraciado que nunca había conocido el amor.

Una mañana de principios de enero, fría y húmeda, bajó a desayunar al bar de la esquina de su casa y pidió un cortado y *El Mundo*. Tomó un sorbo y se abrasó la lengua pero no le dijo nada al camarero porque ya había tenido suficientes broncas en casa. El día anterior había tenido una bronca con su mujer. María José se había ido al pueblo de Marga para pasar la Nochevieja y él le había propuesto a Pilar que pasaran una noche romántica, los dos solos. Sorprendentemente, ella le dijo que sí. Es más, le dijo que prepararía solomillo de cerdo con mermelada de moras y de postre haría bombones de fresón, que había leído que eran afrodisíacos, y después de decirlo se acercó a él y le dio un beso en la mejilla. Paco sintió unas irrefrenables ganas de llorar y de abrazarla. Se reprimió el llanto pero el abrazo sí se lo dio y, para su sorpresa, ella se lo devolvió. Permanecieron así, abrazados, moviéndose muy despacio, como si bailaran una música que sólo sonaba dentro de su cabeza, una música suave, lenta.

Ella le acariciaba los riñones y él le daba besos, pequeños y cortos, en la cabeza. Notó una erección. Deberíamos estar siempre así, dijo Paco. ¿Abrazados?, preguntó Pilar. Abrazados o con ganas de abrazarnos, y no siempre discutiendo, dijo él. La música paró como se para un disco que está rayado. Pilar deshizo el abrazo y le miró con frialdad.

—Tenías que decirlo...

—Pero ¿qué he dicho, mujer?

—Lo sabes perfectamente. Tenías que fastidiarla.

—Pero si no he dicho nada...

—No, si tú nunca dices nada, tú todo lo haces bien...

—...

—Y ahora te callas, te haces la víctima, como siempre...

—De verdad, Pilar, no te pongas así. Anda, ven, vamos a abrazarnos otra vez.

—Ni lo sueñes. No me apetece abrazar a alguien que no deja de reprocharme cosas.

Dejaron de hablar. No comentaron si la cena estaba buena o mala, si les gustó el especial de «El gran juego de la oca», si Irma Soriano dijo bien las campanadas o se retrasó y terminó después de que empezó el año, si Paco tenía curiosidad por ver a la Schiffer en la Primera, si Pilar cambiaba de cadena para ponerle nervioso, si harían las paces una vez más. Nada. Comieron en silencio, no se felicitaron el año, se dieron la espalda en la cama, infelices como siempre, derrotados.

En el bar, Paco le dio otro trago al cortado y volvió a quemarse la lengua. Esta vez se cagó en Dios. Pues sí que empezamos bien el año, le dijo el camarero. Paco cabeceó y tuvo ganas de contarle que su vida era un desastre pero se contuvo por miedo a Pilar (ella también tomaba café allí), y se concentró en las páginas del periódico. Estaba cansado porque no había dormido bien pero también estaba cansado de la vida, de ese desperdicio de días y de noches sin sentido y sin felicidad. Mientras pasaba las páginas llenas de letras emborronadas que no le apetecía leer se preguntaba qué podía hacer para parar ese despropósito. El camarero, que se llamaba Mario y que todavía tenía el disfraz de rumbero colgado tras la puerta del baño porque entre la resaca y la prisa se había olvidado de llevárselo a casa, le dio conversación para no dormirse.

Le contó dónde había pasado el fin de año (en la fiesta de la peña del fútbol), qué había cenado (chuletón), qué había bebido (todo, menos el agua de los floreros), cuánto había dormido (nada), cuánto había vomitado (mucho), si se lo había pasado bien (sí), si se caía de sueño (sí), si su novia se había enfadado porque le pareció que le tiraba los trastos a la prima del presidente de la peña (sí), si se los había tirado (no), si habían hecho las paces y casi pegan un polvo en el lavabo de señoras (sí), si la vida era cojonuda (sí), si había que aprovecharla (sí), si había oído en la radio lo de la chavala de Almería (se llamaba Toñi y estaba celebrando la Nochevieja con unos amigos y se cayó de mala manera y se rompió la cabeza, y unas horas después se murió y su familia donó el hígado, los riñones y las córneas), y aprovechó el silencio de Paco para repetir que había que aprovechar la vida, coño, Paco, que nunca sabes cuándo se va a acabar el baile. Paco le escuchó con atención y le dijo tienes razón, dime cuánto te debo, y Mario, sin saber por qué, no le dijo lo que le iba a decir (son ochenta pesetas), sino nada, Paco, a éste te invito yo.

A Mario le pareció que Paco estaba muy triste, pero ni por un momento se le pasó por la cabeza que, mientras le escuchaba contar la noticia de la pobre Toñi, que había salido en los medios no por haberse muerto a los veinte años sino por haber sido la primera donante del año, su cliente se había dado cuenta de que para solucionar todos sus problemas lo único que tenía que hacer era quitarse la vida. Era tan sencillo que salió del local sonriendo. Tan fácil. ¿Cómo no lo había pensado antes? Desaparecer y, en su huida, hacer más fácil la vida de los demás; la de Pilar, la de los que recibieran sus pulmones, o su corazón, o sus córneas o sus riñones. Tal vez sus órganos conocerían el amor en otros cuerpos. Tuvo ganas de llorar y se notó nervioso, pero estaba decidido. Subió a casa, y en el papel que se metió en el bolsillo de la chaqueta garabateó quiero ser donante; salió de casa y subió a pie los siete pisos que le separaban de la azotea.

Después tuvo que bajarlos porque no llevaba encima la llave de la puerta. Se cagó en la madre que parió a la presidenta de la comunidad, que prácticamente los había obligado a votar a favor de su propuesta de cerrar a cal y canto la puerta de la azotea, pero también se alegró (un poco) de poder retrasar unos minutos el instante final. Mientras subía la escalera y la bajaba y la volvía a subir, Paco se imaginó qué ocurriría en el mundo cuando él ya lo hubiera dejado. Soñó que Pilar enloquecía, sin él. Que María José sacaba fuerzas y salía adelante, y se casaba con Joaquín, y a su primogénito le llamaba Paco. Que en Transnaransa les ponían su nombre a todos los camiones que cubriesen la ruta Valencia-Polonia. Que le echaban de menos. Que le lloraban. Salió, por fin, a la azotea y se asomó a la calle. Se sentía asustado, pero al mismo tiempo la certeza de que todo terminaría en unos segundos también le daba tranquilidad. Paco, que ignoraba que trece años después volvería a planear otras formas de suicidio, decidió que no cerraría los ojos para morir como hacen los soldados antes de ser fusilados en las películas.

Mala decisión. De no haberlos abierto, no habría visto a María José que le hacía señas desde abajo. Acababa de bajarse del coche de los padres de Marga y le saludaba con las manos y gritaba algo, pero como su padre no la oía se las puso alrededor de la boca, como formando un megáfono, y entonces Paco entendió lo que le decía. Nada del otro mundo. Papá, le gritaba. Pero sonreía. Así que Paco le devolvió el saludo con la mano y también le devolvió la sonrisa, y volvió a bajar a pie los escalones y en el rellano del quinto piso se detuvo y lloró un poco, no mucho, por esa otra fantasía que quedaba sin cumplir. Gandhi quizá hubiera hecho realidad sus sueños. Paco, no.

Más que sueños, María José tenía pesadillas con el día de su primera comunión, un acontecimiento que tuvo lugar el 25 de mayo de 1980. Muchas fotografías guardan constancia de aquel acontecimiento, pero muchas cosas también se quedaron sin retratar. María José llevaba un traje que no era ni de novia ni de monja, que era lo que se llevaba. La niña y la madre por una vez estuvieron de acuerdo en algo. Lo compraron, el vestido, en una tienda del centro.

Era de color marfil, tenía las mangas francesas, y el cuerpo en vainica y bodoques con organdí suizo. Le encantaba, aunque nunca lo dijo. En ese momento se sintió hermosa aunque infeliz. Los autobuses pasaban sin cesar y María José los miraba por el cristal del escaparate mientras la modista le tomaba la medida del bajo. Quería escaparse.

Tener el cuerpo de Cristo dentro de la boca le daba miedo, y olvidarse de la poesía que le había tocado leer en la ceremonia, terror. Aunque le habían dicho que no tendría que recitarla de memoria, ella se la había aprendido porque el cura no le parecía de fiar. ¿Y si luego le daba por quitarles la tarjeta en la que estaba escrita la oración y les dejaba hacer el ridículo delante de todos los padres? Así que ella se pasaba el día canturreando en voz baja (Jesús, ahora que estás dentro de mí ya no quiero que te marches, los dos juntos jugaremos, reiremos y viviré feliz por ti, y seré obediente y limpia y ayudaré a mamá y a papá, iré a recibirte todos los días y luego iré al colegio, ¿verdad que estaremos siempre juntos? Jesús, te quiero con todo mi corazón).

A ella le parecía más un poema de amor que un rezo, y se imaginaba el día de mañana recitándoselo al hombre de su vida. Te quiero con todo mi corazón. Ésa era la parte que más le gustaba. Te quiero con todo mi corazón. Tenía ocho años y querer a alguien así, con todo el corazón, era lo que más deseaba en este mundo. Lo más parecido a eso que tenía en su vida era lo que sentía hacia su padre. Le admiraba, le respetaba, le adoraba. Le dolían sus derrotas, le alegraban sus triunfos, le extrañaba cuando no estaba, quería ser como él. Bueno, no es que quisiera ser camionera y pasarse la vida transportando cosas de aquí para allá.

Quería ser como él: honesta, justa, alegre, confiada, afable, bondadosa. A veces le veía apenado. También eso la maravillaba. Prefería mil veces estar triste que enfadada, como su madre. Los oía discutir, por la noche, cuando creían que estaba dormida. Mejor dicho: la oía discutir a ella. Su padre nunca levantaba la voz. En la oscuridad de la habitación se imaginaba escenas terribles, y creía que su madre sometía a su padre a las más crueles torturas (obligarle a pasar la noche desnudo en el balcón, pisarle los dedos con la puerta o arrancarle las uñas o los pelos del pecho). La realidad no era tan dura como ella se la figuraba.

Si le hubieran dicho que lo que ocurría era que le obligaba a ver el programa de la tele que ella elegía sin preguntarle y no el partido de fútbol que él quería ver, o que le daba casquería para cenar, o que dejaba de hablarle después de haberle gritado por haber consentido a la niña, o por haber olvidado comprar la leche para el desayuno del día siguiente, o por haber derramado un vaso de agua en el mantel, o porque se le había escapado un pedo al levantarse de la silla para alcanzar una punta de pan que estaba al otro extremo de la mesa, si hubiera sabido que el gran drama de sus padres se reducía a eso, a esas pequeñas miserias, no se habría pasado las noches llorando hasta que el sueño la vencía. Tal vez se hubiera reído, o se hubiera conformado con la tranquilizadora idea de que su padre no era del todo infeliz, o tal vez se habría sentido peor porque habría intuido que eso, que esas pequeñeces, eran el verdadero drama de las parejas que no son felices juntas.

Para la ceremonia ensayaba el poema con su padre, de carrerilla, una y otra vez (Jesúsahoraqueestásdentrodemíyanoquieroquetemarcheslosdosjuntosjugaremosreiremosyviviréfelizportiyseréobedienteylimpiayayudaréamamáyapapáiréarecibirtetodoslosdíasyluegoiréalcolegio¿verdadqueestaremossiemprejuntos?Jesústequierocontodomicorazón), y luego tomaba aire mientras él se reía y le decía hija, que te vas a ahogar en el púlpito, y le pedía que lo volviera a decir, pero esta vez respirando de vez en cuando. Así se pasaban la tarde.

Pero de eso no se tomaron fotos.

Jesús, te quiero con todo mi corazón.

Sí hay imágenes de ella leyendo, al fin, la oración. Está entre un grupo de niños y niñas que forman un semicírculo tras el altar, en medio de Manuel Brull y de José Baviera. El cura, frente a ella, sostiene el micrófono con una mano y ella agarra la cartulina con los diez dedos, no se le vaya a caer. Está concentrada y mantiene la boca abierta. En la imagen no se aprecia, pero está leyendo y seré ordenada y limpia y ayudaré a mamá. ¿Lo fue? ¿Fue ordenada y limpia? ¿Ayudó a su madre?

Pilar siempre le decía que no, que su cuarto era una leonera, que no le echaba una mano en nada, que sólo pensaba en jugar. Pero a veces pasaba como con lo de las peleas, que pensaba que estaba dormida y entraba en su cuarto y se sentaba en la orilla de la cama muy despacio, sin hacer ruido, y le apartaba un mechón del flequillo de la frente y la miraba con dulzura infinita y no tardaba mucho en echarse a llorar.

María José, lo de la dulzura, no podía verlo porque se hacía la dormida. Al principio, porque no quería que su madre la riñera (otra vez) por estar despierta a esas horas, pero luego mantenía los ojos cerrados y se esforzaba en que su respiración pareciese tan tranquila como si estuviese teniendo un sueño bonito porque quería sentir la mano de su madre acariciándole la frente, o la espalda, o el costado, como si ése fuera el único momento de paz que tenía ese día. María José, se moría de ganas de darle un abrazo, de apoyar la cabeza en el hombro de ella, de decirle mamá, no me riñas tanto o, mejor, no me riñas más, pero se quedaba quieta incluso cuando su madre lloraba porque le daba miedo deshacer ese instante mágico e irrepetible en el que su madre parecía quererla más que a nada en este mundo, y porque algo en su interior le decía que esas lágrimas eran distintas de las otras que vertía el resto del día, tal vez más alegres. También en eso tenía razón.

En la cama, Pilar murmuraba. María José no llegaba a entenderla, pero le parecía que eran palabras bonitas. Lo eran. Le decía que era la más guapa, la alegría de su vida, lo mejor que había hecho. Le pedía perdón por no ser una buena madre, por pagar también con ella su frustración, por no ser capaz de olvidarlo todo y ser una mujer mejor, más feliz. Le prometía que mañana sería diferente, que trataría de sonreír más y de apreciar más las sonrisas de ella. Le contaba que no tenía la culpa de ser tan desgraciada, que algo en su interior la obligaba a estar todo el tiempo enfadada con el mundo. Le suplicaba que no fuese nunca como ella. Le recitaba sus partes favoritas de la oración, ¿verdad que estaremos siempre juntos?, porque también ella la quería con todo su corazón. Tampoco de eso se tomaron fotos.

Sí las hubo, fotos, de María José entre sus padres en un jardín, de María José en la fila con los otros comuniantes, de María José recibiendo el cuerpo de Cristo, de María José sentada a la mesa del convite con una servilleta anudada al cuello para que no se manchase la vainica del vestido, de María José dándole un beso a su padre, de María José dándole un beso a su madre, de María José repartiendo puros entre los invitados con su padre, de María José recogiendo regalos, de María José bailando un rock con su padre, de Pilar hablando con Paco con un gesto inequívoco de enfado, y de Paco agachando la cabeza en un inequívoco gesto de sumisión. Segundos después de esa instantánea, María José se acercó a sus padres y les dijo va, no os enfadéis hoy, que es mi comunión, y su madre le dijo no estoy enfadada con tu padre, pero ¿cómo no me voy a enfadar si el cazurro de su primo Román se ha equivocado de convite y ha grabado en súper 8 la comunión de otra niña?, y su padre le dijo pero ¿qué culpa tengo yo de que Román se haya confundido?, y María José dijo es verdad, y Pilar dijo tú siempre te pones de su parte, y María José dijo me voy a mear, que estáis igual sea el día que sea, y al salir del salón resbaló en un charco de vómito que acababa de arrojar justo ahí, entre la sala y los lavabos, su primo Juanjo. Juanjo, que tenía siete años y había sufrido una subida de acetona (era un mal común en la familia, al parecer), no pudo llegar a tiempo al baño de chicos y devolvió en el suelo y también en la esquina del vestido de su madre, que le dijo ay, hijo, por Dios, vamos al aseo y luego avisaremos para que lo limpien, pero a la madre, con el trajín de echarle agua al niño en la nuca y de quitarse las manchas de la ropa, se le olvidó advertir a los camareros de lo que había pasado, así que cuando María José entró en el vestíbulo con paso firme porque estaba enfadada y porque se hacía pis encima, no pudo evitar la caída. Por suerte, Pilar era una mujer previsora y en el maletero del coche había metido el segundo traje de la comunión, un vestidito azul claro con lazos azules y blancos. No hay fotos.

Sí las hay, muchas, con ese vestido, pero la que Pilar llevó a la habitación del Sánchez Díaz-Canel no es ninguna de ésas. Está en un marco de plata, que no es el original. El primero era de cristal y se rompió hace unos años al caerse de la estantería. No es una fotografía especialmente bonita, pero ninguno protestó cuando Pilar la colocó en el comedor, porque cada uno le tiene cariño por motivos distintos que llegan al mismo punto.

María José está sobre una silla y se nota que hace fuerza con la mano para cortar la tarta. Sobre una silla también está Marga, y otra niña, Natalia, que era hija de unos vecinos y que años más tarde, a los veintiséis, moriría de un cáncer de mama que no diagnosticaron a tiempo.

Estuvo enferma sólo unos meses, pero fue suficiente para que se despidiera de este mundo completamente convencida de que era una mierda. Sus padres estuvieron a su lado hasta el final, pero su marido, con el que llevaba casada sólo siete meses, la abandonó porque no podía soportar la cercanía de la muerte, la certeza de saber que ninguno de los sueños que habían tejido juntos acabaría por cumplirse. ¿Tienes los santos cojones de decirme eso en la cara?, le preguntó Natalia, y el marido se echó a llorar como un chiquillo. Te digo lo que siento, le contestó, y ella le respondió que lo que sentía era haberse creído que él la quería todas las veces que él se lo había jurado. Me siento un miserable, le dijo él. Es que lo eres. Yo voy a morirme pronto, pero tú ya estás muerto para mí, le contestó ella. Él se quedó en el piso que habían compartido y ella se marchó a casa de sus padres, donde murió preguntándose qué habría sido de su vida si hubiera cumplido veintisiete, treinta, setenta, cien años, si hubiera tenido hijos, nietos, si se hubiera dado cuenta a tiempo de que su marido era un hijo de puta, si hubiera sido feliz.

En la fotografía, ajenos al drama que vendría después, Pilar y Paco están de pie y sonríen a la cámara. A María José le gustaba la mirada cómplice de Marga, como si la animara a partir el pastel. A Pilar le gustaba porque se ve lo bien que le quedaba el vestido azul de mangas japonesas que había cosido ella misma después de sacar el patrón del *Burda*. A Paco le gustaba porque tiene agarrada a Pilar por la cintura y ella le deja caer la mano en el hombro. Parecen felices. Lo son. Eso sí sale en la foto.

Cleopatra mira con frecuencia la fotografía. Le gusta pensar en ese día, cuando todo estaba por pasar, cuando todo eran promesas. Los conoce a todos, aunque no conozca a nadie en realidad. Cuando se quedan solas las raras ocasiones en las que Pilar acepta irse antes que la amiga de su hija, Marga coge la fotografía y le cuenta todo lo que hicieron ese día, el de la comunión, desde por la mañana (acompañaron a María José a la iglesia, al jardín del convento de las monjas donde hicieron las fotografías para el álbum, a su casa, al restaurante y a su casa otra vez).

Le cuenta que comieron, que bebieron Coca-Cola hasta reventar, que bailaron como locas todo lo que pusieron en el tocadiscos y se desgañitaron cantando las letras que se sabían (*Sin amor* de Iván, *El amor de mi vida* de Camilo Sesto, *Gloria* de Umberto Tozzi) y lo que no (*My Sharona* de Knack, *Do you think I'm sexy* de Rod Stewart, *Born to be alive* de Patrick Hernández), las cosas más bonitas (lo contento que estaba todo el mundo), las cosas menos bonitas (lo del vómito). Todo. Se lo cuenta siempre igual, como si fuera un guión que se ha aprendido para recitarlo.

A Cleopatra, al principio, le irritaba esa conversación y no se esforzaba demasiado en disimular que el cuento le parecía una lata a esas horas de la noche, pero la cuarta o la quinta vez (quizá la sexta) que lo escuchó se dio cuenta de que Marga no se lo contaba a ella, sino a sí misma. Eso la enternece, tanto, que cuando la nota especialmente triste es Cleopatra la que saca el tema, la que agarra la foto y se la muestra y le dice qué lindas estaban, o qué chicas eran, o qué felices parecían, o qué pinta tenía esa tarta, y le da el pie para que la otra empiece con la historia de siempre, la Coca-Cola y demás. Qué bien lo pasamos ese día, desde por la mañana, cuando fui a su casa para hacerle compañía. Cleopatra cree que Marga cree que al decirlo en voz alta es como si trajese de nuevo ese día y los que vinieron después, otras fotos, otros momentos, felices uno, desgraciados otro.

Qué habría pasado si la vida se hubiera detenido entonces. Cleopatra intuye que Marga piensa eso, pero no lo sabe a ciencia cierta. No la conoce mucho, y aparte de la conversación del retrato han cruzado pocas más. El tiempo, la hora, algo del trabajo, casi nada. Cleopatra sabe que Marga es periodista aunque no ejerce, que sus hijos le hacen muchas trastadas pero son buenos chicos, que su marido trabaja en la televisión aunque no sale porque es editor y no reportero, pero de sus sentimientos sólo conoce el amor incondicional que le tiene a la amiga.

Tampoco Marga sabe demasiado de Cleopatra, aparte de su habilidad para hacer malabares con el tiempo para tener más trabajos que ninguna otra persona que conozca. Marga está convencida de que el afecto es una cuestión de roce pero también de química, y Cleopatra le da buen rollo. Piensa que si María José no estuviera en coma, si sólo se hubiera fracturado la cabeza del fémur y tuviese que estar inmovilizada dos meses, se moriría de la risa con ella.

Seguro que es una bruta, una malhablada, seguro que la noche sería un no parar de chistes verdes, de anécdotas de polvos pegados en cualquier rincón de cualquier playa o de cualquier coche de los años cincuenta aparcado en cualquier calle de La Habana. Seguro que le hablaría de los novios, de los amantes, de los cubanos calientes, de los turistas, de las mil formas para buscarse la vida. Seguro que echaría pestes de su madre (tu madre, chica, qué amargura de mujer), y seguro que se burlaría de Joaquín (lo que me extraña es que no te separaras antes de él).

No habla mucho con ella pero le cae bien, y eso que ignora que la cubana le ha cogido aprecio. Le gusta que sea miércoles para verla. Cleopatra se dio cuenta un martes, en el metro, en el que se sorprendió imaginándose cómo sería ser amiga de Marga. Lo primero que pensó es que si lo fueran, amigas, seguramente le conseguiría los productos del súper a mejor precio, y luego se vio despachando la carne, con ese delantal y ese gorro que tanto le gustaba. Que no es que ella quiera ser carnicera, ojo, pero tampoco le gusta la idea de pasarse la vida corriendo de acá para allá, con mil empleos y ninguna seguridad. Lo que desea es tener un puesto fijo, con su contrato, sus pagas, sus vacaciones, sus días libres, pero no porque sea una holgazana que quiera desperdiciar el tiempo sin trabajar, sino porque de esa manera tendría la tranquilidad para traerse consigo a la niña. Así le da miedo. ¿Y si se queda sin casas? ¿Y si no la llaman más para que pase las noches en el Sánchez Díaz-Canel? La posibilidad de que su hija pase necesidades le pone los pelos de punta, pero el otro escenario no es mucho mejor. Tener tanto trabajo no es lo ideal para que Ramona María cruce el charco. ¿Con quién la dejaría? ¿Todo el santo día sola? Para eso, mejor se queda con su abuela, que la adora, que la cuida, que la mima, que la tiene como una reina, que le da los caprichos, que le cose la ropa, que le cuenta cuentos y le canta nanas y la lleva al malecón y la acompaña a la playa y le cocina dulce de membrillo y chicharrones y moros y cristianos y todo lo que le gusta a la criatura.

Ella no podría hacerle nada de eso. Le falta tiempo, dice, y quizá también valor. ¿Para qué? Para cambiar las cosas, para romper el equilibrio precario que por fin han alcanzado, después de tanto tiempo. Puede que su hija ya no la reconozca, que se haya olvidado de su olor, de sus pequeñas complicidades, como cuando le hacía sombras chinescas con las manos en la cama, antes de dormir, y la niña fingía que la mancha de la pared se parecía de verdad a un perro, o como cuando le arrancaba la nariz con los dedos, o como cuando se quedaban despiertas sin decir nada, mirándose sin hablar.

Tenía cuatro años, y ahora tiene siete. Que la quiere, no lo duda. Pero a veces se mortifica con la idea de que llama mamá a su abuela y que si la arranca de su lado será como si hubiese perdido dos veces a su madre, la primera cuando se vino a España y la segunda cuando la separe de ella. No sabe qué hacer. Por eso le gustaría ser amiga de Marga. Para que le rebajase la compra, para que le diera trabajo, para contarle sus penas, para que la quisiera, alguien, un poco.

Pilar también coge la foto cada dos por tres y le señala con el dedo quién es cada uno. Ésta, María José; ésta, Natalia; éste no sé quién es, un camarero que pasaba por ahí justo en ese momento; ésta, yo; éste, Paco; ésta, Marga. Cuando Pilar le habla de su hija se le dulcifica la mirada. Cleopatra, al principio, no entendía a Pilar. Esa soberbia con la que trataba a todo el mundo, ese desprecio. Ahora la comprende mejor. Pilar se esfuerza por parecer fría aunque no lo sea. De serlo, fría, no le habría escrito en un papel todas esas frases en francés para que entretuviese a Goumba con una charla absurda, pues aunque ella le pregunta en algún momento de cada noche *ça va bien?*, no le suena más que el *oui* que él responde al principio. Goumba lo sabe, que no le entiende, pero igualmente se enzarzan en una conversación en español y francés que les lleva horas entre bostezos y cabezadas y visitas a la cama de María José para comprobar que todo sigue en orden. A saber lo que le dirá él.

Ella le cuenta cómo le ha ido el día o lo que ha soñado, o lo que ha comido, o si ha visto a un hombre en el autobús que le recordaba a Manuel, o si ha echado de menos a su hija más de lo habitual, o si está cansada, o triste, o contenta, o si lleva varios días sin hacer de vientre, o si se va a poner a régimen, o lo que sea, las cosas que no le cuenta a nadie porque en realidad no tiene a quién contárselas.

Por la expresión de él, acierta a comprender si está animado o decaído, o si le está contando algo triste o alegre. Si le habla en voz baja, piensa que le está revelando un secreto y se imagina que le cuenta cómo perdió la virginidad o que recuerda la última vez que hizo el amor. Si los ojos se le empañan, está segura de que le habla de su madre, o de esa novia que le despidió llorando en la orilla de la playa y que ahora no sabe si esperarle o no porque si no vuelve su vida será mala, y si vuelve será aún peor. Si la mirada le brilla, le explica cómo se cocina su plato favorito, o un chiste que siempre le ha hecho reír. Ella le corresponde poniendo la misma expresión que pone él, triste, alegre, melancólica, y él hace lo mismo cuando es ella la que habla. Total, da lo mismo. Una vez Pilar le preguntó si hablaba con él, y cuando le dijo que sí le preguntó que de qué, si ni siquiera usaban el mismo idioma. Al oír eso, Cleopatra quiso contarle que había visto en el deuvedé una película romántica (*Love actually*) en la que un chico que es inglés y que es escritor acaba enamorándose de la chica de la limpieza, que es portuguesa, y se pasan el rato hablando cada uno en su lengua sin que ninguno de los dos se dé cuenta de que se dicen lo mismo con palabras distintas, pero no quiso que Pilar se riera de ella, ni que la menospreciara por no saber idiomas, ni que cayera en la broma fácil de preguntarle si acaso se estaba enamorando de Goumba. No. No se estaba enamorando de Goumba. Ella sólo estuvo enamorada de Manuel, pero no le dijo nada de eso, sino que se encogió de hombros y murmuró ¿y eso qué tiene que ver?, hablamos de cosas, como todo el mundo.

Eso es verdad. Todo el mundo habla de cosas y la mayoría se entienden lo mismo que ella y Goumba: nada. Ellas dos, por ejemplo. Pilar le pregunta qué tal el día y Cleopatra se da cuenta de que su jefa ya anda pensando en otra cosa a los tres segundos de que haya empezado a contestarle. No se lo reprocha. Ella también hace lo mismo cuando es Pilar la que se queja de su vida, o cuando las enfermeras le dan conversación en la ronda de las seis de la mañana. Goumba es la única persona a la que presta atención cuando le habla, aunque no entienda ni una palabra de lo que le dice. Bueno, no es del todo cierto.

A Paco también le hace caso, a veces. Le da lástima verle tan afectado, todo el tiempo. Pilar es distinta. Es dura. Se guarda tan adentro sus sentimientos que Cleopatra se ha acostumbrado a ignorarlos, aunque sabe que los tiene. Varias veces ha entrado en la habitación y la ha sorprendido llorando a moco tendido recostada en la cama de su hija, y también la ha visto salir del baño con los ojos rojos y húmedos, o la ha encontrado tan triste que le han dado unas ganas terribles de abrazarla, que se han evaporado cuando Pilar se ha dado cuenta de que la observaba y ha cambiado la expresión, fría, de nuevo.

Una tarde, la sicóloga del hospital se pasó por la habitación antes de que Pilar se marchara, charló un rato con ellas de naderías (si entraba corriente en el cuarto al abrir la ventana, qué programas de la tele les gustaban y cosas por el estilo). A ella le daba pena coincidir con la doctora, porque Pilar la trataba como si tuviese la culpa de todo, pero la mujer debía de estar curada de espanto porque nunca reaccionaba mal a ninguna de las salidas de tono de Pilar. Ese día, en concreto, le dejó unas fotocopias encima de la cama de María José. Por si le apetece leerlas, le dijo, pero Pilar las tiró a la papelera sin esperar a que la otra saliera de la habitación.

Parecía inalterable, pero Cleopatra, que había aprendido a interpretar casi todos sus matices, supo que esa noche Pilar lloraría en su casa porque le tembló ligeramente el labio inferior mientras le contestaba con desprecio yo ya sé lo que va a pasar, no necesito prepararme

207

para nada, y luego dudó si coger primero el bolso o la chaqueta, y al salir hizo el amago de darle un beso en la mejilla que detuvo en cuanto se dio cuenta de que Cleopatra no era María José. Esos pequeños gestos le dan ternura porque son la prueba de que la frialdad de Pilar no es más que una forma de gestionar el dolor desgarrador de estar perdiendo a su hija. Cada día, una resta. Ya queda menos.

Paco no es así. Paco recogió de la papelera los folios que Cleopatra había devuelto a ese lugar después de leer las cinco fases del duelo (negación, ira, negociación, depresión y aceptación) y de pensar que Pilar había hecho muy bien en no mirar esas fotocopias que la sicóloga le había llevado con la mejor intención de este mundo pero que hundirían a cualquiera que estuviese en la piel de Pilar. Paco los cogió con curiosidad, al tiempo que preguntaba ¿qué es esto?, y empezó a leerlos antes de que Cleopatra le respondiese no, déjelo, no se moleste, son cosas mías. Para cuando terminó, un buen rato después, tenía la cabeza entre las manos y lloraba amargamente. Yo no voy a superar esto nunca, nunca, nunca, nunca, nunca. Cleopatra se duchó, se vistió, trató de darle conversación y se cansó de intentarlo. Al cerrar la puerta de la habitación, Paco todavía andaba cabeceando con los papeles arrugados en la mano. Nunca, nunca, nunca.

Aquél no fue un hecho aislado. A Paco la pena se le sale por los poros. Por el pasillo camina a pasos lentos, cansados, con la mirada triste y la cabeza gacha, pero cuando entra en la habitación su cara se ilumina. Buenos días, Cleopatra, ¿cómo habéis pasado la noche?, ¿has podido dormir?, ¿ha habido algún problema?, ¿cenaste bien?, ¿crees que le habrá dolido algo?, ¿sabes algo de tu hija? Una pregunta para María José, otra para ella, y a las suyas sólo responde con un gesto de los hombros (los encoge) o con un lugar común (ya ves, no quiero quejarme, siempre hay que mirar a los que están peor). A veces le da por pensar que su vida habría sido distinta si hubiera tenido un padre como él. O si Manuel hubiese sido así, tan tierno. Pero no. Nada en su vida se ha parecido ni remotamente a Paco.

Le tiene afecto. Le gusta poder hacer algo para que se sienta mejor, o menos mal, o un poco más vivo. Hace pequeños intentos. Le espera para tomar café, y si no resiste el rugido de sus tripas porque se ha despertado muy pronto, finge que todavía está en ayunas porque se da cuenta de que es la única forma de que Paco tome algo y no siga perdiendo peso de esa manera. Le cuenta chismes del hospital, le oculta que por la noche alguien ha muerto, no le dice que en la habitación de al lado ha ingresado una chica igual que María José, ni le comenta que Amparo Monzó, la enfermera, le tiene buscado otro trabajo para cuando María José muera. Todo es poca cosa y enseguida se le borra la sonrisa. La anima a ducharse, a comenzar su pelea diaria, y la ignora de inmediato: se pone a leer el periódico, a veces en silencio y a veces le lee noticias en voz alta a María José, o mira por la ventana, o cierra los ojos como si fuera a dormirse. A veces se pregunta si Paco le gusta como hombre, pero sabe que no.

Le emociona su humanidad, esa infinita paciencia que le ha ayudado a aguantar a su mujer todos esos años, su aspecto de haber aceptado la infelicidad como parte de su destino. Le conmueve tanto, tiene tantas ganas de que la vida le dé alguna alegría, que la mañana que se dio cuenta de que le estaba viendo las tetas en el espejo por entre el vapor del agua de la ducha no cerró la puerta y le dejó mirar.

Joaquín mira a Cleopatra sin saber que es Cleopatra cuando se cruza con ella en el hospital y le entran ganas de piropearla. Se da cuenta de que no sería de buen tono decirle que tiene los ojos más bonitos que ha visto esa mañana, mucho menos nada referido a otras partes de la anatomía, algo del estilo menudo culo o vaya par de melones, o me la pones incandescente, o ven aquí, mulata, que te voy a dar lo tuyo.

Esos pensamientos le dan risa y le ponen triste al mismo tiempo, porque no los tiene en ningún otro momento del día. Mejor dicho: no le vienen a la cabeza salvo cuando no puede expresarlos en voz alta, o cuando no tiene la oportunidad de ponerlos en práctica. No se empalma, en pocas palabras. Tiene ese problema desde que María José le abandonó, hace ya un año, dos meses y veinticuatro días. Las horas no las tiene contadas. Pasan demasiado rápido. Parece una contradicción, pero no. El tiempo debería transcurrir lentamente; los minutos deberían alargarse, enredarse, confundirse unos con otros hasta parecer eternos, hasta hacerle creer que es viernes cuando todavía es lunes y cosas así. Siempre ha ocurrido de esa manera cuando era desdichado. Cuando tuvo la lesión, por ejemplo. Cuando ha estado enfermo, o disgustado, o triste. Pero fue salir María José de su vida y el tiempo se aceleró.

Todo el mundo le decía que eso era bueno, que así la herida curaba antes, pero es que él no quería que la herida curase, sino que su mujer volviese pronto, arrepentida de aquel arranque de desamor. Ya no te quiero, le dijo, y se fue. Ella, que tanto le quiso, que tanto le había esperado, que tanta quina había tenido que tragar antes de plantarse delante de él para decirle o te casas conmigo o no me busques nunca más, fue la que le dejó, la que incumplió todas las promesas, tantas promesas. Todas, tantas. María José le había hecho creer no sólo que le amaría siempre, sino que le adoraría cuando no fuera adorable, que le perdonaría cuando le hiciera daño, que le justificaría cuando se equivocara, que le levantaría cuando se cayera. Siempre. Por eso aceptó su propuesta (o te casas conmigo o no me busques nunca más), aunque se daba cuenta de que no era una buena razón para casarse con nadie, mucho menos con ella.

Pero no era el peor de sus motivos. Qué va. Quererla era lo de menos, porque un poco sí la quería. Era una buena mujer, fuerte, leal, una buena compañera. Y era divertida, y contaba unos chistes cojonudos, y le encantaba follar. Estaba algo rellenita, cierto, pero en peores plazas había toreado. Y a él se le estaba empezando a caer el pelo por encima de la frente, que es la forma más ridícula de quedarse calvo. No se notaba mucho, pero Juan Boscana, el peluquero, no hacía más que decírselo (Joaquín, cuidadín) y después del pareado le repiqueteaba con los dedos en las entradas, y tampoco se le iba ese michelín cabrón que le salió cuando dejó el gimnasio, y cada vez con más frecuencia recurría a María José porque todos los demás teléfonos no respondían, en el sentido metafórico de la expresión. Responder, literalmente, sí respondían. Respondían que habían ya quedado, que tenían un compromiso del trabajo, que tocaba cena de chicas, de compañeros de la facultad, de los que cogían el autobús a las ocho y media, que estaban enfermas, o de vacaciones, o demasiado cansadas para salir.

La peor excusa se la dio una periodista que se llamaba Carmen y que era casi siempre la última de la lista porque por delante había siempre otras más guapas o con mejores peras, pero un viernes que no encontraba plan la llamó y le dijo Carmen, te invito a cenar, y ella dijo no puedo, estoy trabajando para Toni Cantó y tengo que ver *Tacones lejanos* en la tele para decirle cómo ha estado. Colgó y se cagó en la madre que la parió, y se dijo que nunca más la llamaría, por fea y por no ser capaz de inventar un pretexto mejor, y entonces marcó el número de María José. Ella sí estaba, libre, dispuesta, sin plan para un viernes por la noche, como si supiera que todas las demás le iban a dar pasaporte. Lo sabía, de hecho.

¿Desde cuándo? Tal vez desde siempre, y eso le daba coraje y también ternura. Le daba rabia que ella hubiera sabido antes que él que su atractivo acabaría pasando, que las demás dejarían de encontrarle guapo y simpático, que se cansarían de beber gratis en los locales en los que él servía el alcohol, que se darían cuenta de que esos aires de hombre importante se quedaban pequeños para un representante de vinos y licores. Todo trabajo es digno, le decía María José. Las otras, en algún momento, le lanzaban una broma envenenada. Creía que eras el concejal de Turismo, o pensaba que eras el dueño, o ¿pero tú no estabas forrado?, o si parecías un jugador de fútbol. Cosas así. Pero María José, no. Ella le miraba con admiración inquebrantable. O te casas conmigo o no me busques nunca más. ¿Por qué no?, pensó él, y lo dijo en voz alta, ¿por qué no?, y a María José eso le bastó.

Se casaron en el juzgado un jueves por la mañana. Como testigos estuvieron Marga y Carlos, el marido de Marga, porque a él no le hacía ilusión que nadie diera fe de ese momento, y luego se fueron a comer a un restaurante de la playa, como si en vez de una boda celebrasen un cumpleaños. María José no perdió la sonrisa en ningún momento. Estaba feliz, aunque no llevaba un traje blanco ni un ramo, sino un traje de chaqueta color hueso que se había comprado en Zara y que era muy parecido al que había llevado (doña) Letizia el día que se hizo público su compromiso con el príncipe, y en lugar de las flores se había puesto un broche con tres rosas rojas en la solapa. Comieron paella, y de entrantes *esgarraet*, bravas, clóchinas y mojama, y bebieron cerveza y vino blanco, y brindaron un poco por todo, por los novios, por los padres de los novios, por los amigos de los novios, por los novios otra vez.

Marga brindó por María José y le deseó que el mundo estuviera a la altura de sus sueños. Su suegro quiso decir unas palabras pero se emocionó antes de hablar y se le quebró la voz en un quejido ridículo y su suegra le lanzó una mirada asesina que venía a significar pero qué capullo eres; María José se levantó, se acercó a su padre y también quiso decirle algo pero tampoco pudo porque se le hizo un nudo en la garganta, así que le abrazó muy fuerte y escondió la cara entre el hombro y el cuello del hombre para que nadie la viera llorar. La madre los miró otra vez, pero en vez de hacerlo con mala hostia también pareció a punto de derramar unas lágrimas, así que cuando su hija levantó la cabeza y la vio no pudo evitar sonreírle un instante y abrazarla. Soy muy feliz, dijo muy bajito, y miró a los que ya eran sus suegros esperando que ellos dijeran algo, pero no pronunciaron palabra. A ellos esa boda tan rápida, tan repentina, tan discreta, les olía a cuerno quemado. Creían que la gorda del primero se había quedado preñada y estaban avergonzados antes de tiempo por el bochorno que les esperaba con el transcurrir de los meses, siete como mucho; luego, cuando la tripa de ella no crecía, empezaron a cogerle aprecio. Cuidaba bien de su hijo, se le veía más centrado, más cabal; los llamaba por teléfono casi a diario, les preguntaba ¿cómo les va?, nunca los tuteó, tenía la casa como una patena, era simpática, y no estaba tan gorda como creían antes, pero ese día, el día de la boda, sólo abrieron la boca para comer y para decir un viva desabrido cada vez que Marga decía vivan los novios. Marga, que había bebido más de la cuenta, dijo eso (vivan los novios) tantas veces que los camareros acabaron comprendiendo que celebraban una boda y sacaron una tarta al whisky con los dos muñecos que habían coronado el pastel de bodas de los dueños del local. Gentileza de la casa, dijeron, y Paco volvió a echarse a llorar. Cuando terminó la comida, María José le regaló el broche a Marga y le cogió de las manos y le dijo tía, no sabes lo feliz que soy.

¿Fue feliz? ¿Fue feliz María José? ¿Cuánto? ¿Cuánto tiempo fue feliz la niña pequeña que se colaba en el ascensor para estar con él? ¿Cuánto tardó en darse cuenta de que le habría ido mejor si hubiera subido por la escalera?

Estuvieron casados un año y él nunca se dio cuenta de que la estaba perdiendo. La culpaba por eso. ¿Por qué no se lo había dicho? De haberlo sabido, tal vez no hubiera seguido saliendo todas las noches como si nadie le esperase en casa, ni habría pasado por alto el detalle de decirle lo bien que cocinaba, lo mucho que se esforzaba en que todo estuviese listo para cuando él llegase a casa, si es que llegaba, el interés con el que escuchaba las cuatro chorradas que le contaba siempre que le preguntaba qué tal el día para no decirle la verdad (pues ya ves, bien, te he puesto los cuernos con menganita y pienso ponértelos también con fulanita, por ejemplo). Foca de mierda.

Ojalá le hubiera dicho mira, Joaquín, yo sí quiero tener este hijo cuando él la convenció para ir a aquella clínica porque no estaban preparados para ser padres y no se hubiera conformado con los argumentos de él para que abortara. Y ojalá le hubiera dicho también que le molestaba que roncase, que le olían los pies, que quería visitar más a sus padres, salir de vez en cuando con Carlos y Marga, ir al cine, a cenar juntos y solos, y no siempre con los amigos de él; ojalá le hubiera avisado de que se estaba cansando de sus excusas torpes, de su manera egoísta de hacerle el amor, de que nunca le preguntara cosas sobre ella, si le quería, si era feliz.

Pero nunca le dijo nada, nada que le hiciera sospechar que todo iba mal, hasta que aquella noche vieron aquella mierda de película, la del gigoló, y ella se echó a llorar y le dijo ya no te quiero y añadió me voy de casa, por si acaso él tenía alguna duda, y como no acertó a decir nada, continuó diciendo: me llevo las cosas que traje cuando nos casamos y al perro, que me lo encontré yo, y lo demás te lo puedes quedar. Como salió de casa con el perro correteando tras ella pero se dejó las maletas que usaba para irse de vacaciones, él pensó que era un calentón y que no tardaría en volver, y para vengarse esa noche se fue a la cama con una rubia que se llamaba Dolores y que fue la primera en comprobar que Joaquín había perdido la capacidad de empalmarse. O te casas conmigo o no me busques nunca más, le dijo, y él no le vio ninguna pega a ese ultimátum. María José, que sólo un año después tenía todos los motivos que él no había encontrado para no hacerlo, ya no volvió.

No se lo ha dicho a nadie, lo de las erecciones, ni siquiera a Feli. Podría habérselo contado, que para eso era su sicóloga, pero con una rareza ya tenía de sobra; bastante le jodía no poder hablar como para reconocer que tampoco era capaz de izar el mástil.

Se sentía ridículo también por eso, por sentir vergüenza de algo que no era como para avergonzarse, pero no lo podía remediar. Él, que se había follado toda la vida cualquier cosa que se le pusiera por delante, no conseguía que se le levantara por más que lo intentaba. Lo de la afonía histérica era distinto, porque no era más que la respuesta física al trauma de saber que su mujer, porque todavía sentía que era su mujer, estaba ya muerta, aunque su cuerpo siguiera con vida. Eso era insuperable, y el hecho de no poder hablar, en cierta forma, le hacía sentirse más estúpidamente humano porque cada palabra que no podía pronunciar era como un grito para todos los que no habían creído en él. Yo también la quería. Todavía la quiero.

Pero lo de la impotencia era otra cosa. Lo de la impotencia le convertía en un ser débil, en un mierda que no podía superar el abandono de una mujer que era más vieja, más gorda, más fea que él. Había pensado en comprar Viagra pero le daba apuro pedírsela al médico y de Internet no acababa de fiarse, así que se sentía condenado sin remedio. Se veía torpe, triste, avergonzado, y estaba convencido de que nunca sería capaz de recuperar la hombría. La hombría. Se reía al pensar en esa palabra. La ausencia de María José, la soledad, le había hecho comprender que realmente no había sido muy hombre antes. Vale, sí, había tenido una vida sexual muy activa, había cumplido casi todas las fantasías que un hombre suele tener (un trío, un cuarto oscuro, mujeres de distintas razas y cosas así), pero al final de la corrida (nunca mejor dicho) había acabado más solo que la una.

Él, que decía con orgullo que su mujer sólo le había enseñado a distinguir cuando un huevo no era fresco porque no flotaba en el agua de un vaso, se dio cuenta al quedarse sin ella de su enorme grado de estupidez al negarse a aprender lo más fácil, lo esencial: a querer, a que le quisieran, a ser un hombre, de verdad, íntegro, valiente, leal. No se empalmaba, cierto. Pero se consolaba pensando que la hombría no la había perdido porque realmente nunca fue un hombre, sino un niño que se había resistido a crecer. Un crío estúpido que llegaba a esas conclusiones sentado en el coche, con el motor apagado, día tras día, en el aparcamiento del Sánchez Díaz-Canel y que por la noche las olvidaba todas, una a una, unas veces en un bar tratando de ligar como un borracho patético y otras en el mismo asiento en el que pasaba las mañanas con una fulana hincada en su polla que se afanaba denodadamente en ponérsela dura y que le pedía treinta euros después de mirarle con lástima y de decirle yo he hecho lo mío, ahora me tienes que pagar.

Por eso se conforma con mirarle el escote a Cleopatra, aunque no sepa que se llama Cleopatra ni que acaba de ducharse dejando la puerta entreabierta para que su suegro le vea las tetas y se sienta mejor, o menos mal, o un poco más vivo.

Julio

Goumba sigue rezando cinco veces al día. Al amanecer, a mediodía, por la tarde, al anochecer y cuando ya es de noche. Cleopatra lo sabe y hacia las seis de la mañana se acerca a la habitación para comprobar que está despierto. Goumba ya está concentrado en su oración cuando entreabre la puerta. Casi no hace ruido para oírle pronunciar suavemente que no hay más que un Dios y que Mahoma es su profeta y que Alá es grande y otras cosas que no acierta a entender porque el Salat tiene que rezarse en árabe y si casi no se aclara con el francés mucho menos con el idioma del Corán, pero igualmente se queda mirando porque le gusta verle mover los labios y pronunciar lentamente sus oraciones en esa lengua que es como de cuento.

Goumba tiene los ojos cerrados y se imagina que antes de rezar se ha lavado tres veces las manos, los brazos hasta los codos, y la cara, y la boca, y los oídos, y los pies hasta los tobillos empezando siempre por la derecha. Se imagina las gotas de agua cayendo por sus antebrazos, o salpicando el suelo cuando él se moja la cabeza, y cuando ya se siente limpio se inclina hacia La Meca y dice *Allahu akbar* y continúa, y le da las gracias porque sabe que las cosas siempre podrían ser peores, y le pide que Paco vuelva a dejarle el teléfono para llamar a su madre, o que Pilar siga enseñándole palabras en español para poder hablar con Cleopatra y con las enfermeras, o que le den el alta de una vez a la profesora de física médica para que puedan cambiarle a la habitación de María José. Así todo será más fácil, se lo ha dicho Pilar, y tiene razón.

No estaría siempre tan solo, y para ellos sería más cómodo atenderle sin dejar a María José. Tiene ganas de estar con ellos, pero también tiene ganas de conocer a María José, de tenerla cerca, de olerla. Se hace cargo de que a esas alturas la piel de ella no olerá a lo que ella era, sino a lo que es ahora, un cuerpo dormido. Seguro que él tampoco huele como antes. Claro, que él hace tiempo que dejó de oler como antes. Goumba siente que ha tenido dos vidas. La primera plena y la segunda triste, y lo que más le irrita es que cuando fue plena apenas si se dio cuenta. Trata de pensar que este sufrimiento tendrá un sentido que se le escapa, y que quizá en el Paraíso se le compense de tanta desgracia, pero sabe que por firme que sea su fe, también es firme su desesperación cuando la cabeza le ordena al pie que se mueva y el pie no se mueve y la cabeza le repite que se mueva y el pie se obstina en no moverse, y así una y otra vez, hasta que alguien entra en la habitación, una enfermera, un visitante que se confunde de cuarto, Pilar, que va a ver si necesita algo, Paco, Cleopatra, los de la asociación, la puerta que se abre sin que pase nadie, y sus pensamientos se paran en seco. Alá sabe por qué suceden las cosas, todo está escrito desde antes de que nazcamos y así habían de ser las dos vidas de Goumba Samb, una inconscientemente venturosa y la otra...

Se pregunta cuánto tiempo (más) tardará en perder la paciencia (de nuevo), y no se sabe responder. Mejor dicho, cada vez se da una respuesta diferente. A veces cree que no será capaz de resistir un segundo más en esa cárcel llena de llagas que se ha convertido su cuerpo. A veces cree que podrá estar así siempre, sí, ¿por qué no?, ¿qué diferencia hay entre el Goumba que podía caminar y el que no puede?, ¿qué diferencia hay entre el Goumba capaz de rascarse y el que no? Tampoco es tan grave: no siente picor, ni necesidad de andar, y aunque a menudo sueña que corre, o que coge un vaso de agua fresca y se lo lleva a los labios, o que se ríe tanto que le duele la barriga, en realidad hace mucho tiempo que no ha corrido ni ha disfrutado ese trago ni se ha reído hasta doblarse por la cintura. ¿Cuánto? Demasiado.

Fue su padre el que le dijo ¿por qué no te vas? No le culpa. Sólo dice la verdad. Fue su padre. Su madre no quería. Mi hijo no, mi hijo no, repetía, pero el padre insistía: otros se habían marchado y mandaban dinero de vez en cuando. La madre insistía también: otros se habían ido y nunca habían enviado dinero. Ella no lo decía por el dinero en sí, sino por lo que significaba. Estaba cansada de consolar a otras mujeres que no sabían nada de sus hijos desde que se fueron y que los daban por muertos sin saber ni siquiera dónde tenían que llorarlos, pero su marido no entraba en razón. Tampoco a él le interesaba el dinero; es más, le pidió que nunca enviara nada más que buenas noticias: que había terminado bien el viaje, que se había instalado en una casa con cristales en las ventanas y agua corriente, que tenía un trabajo, que había conocido a una buena mujer.

Goumba era el hijo mayor pero no fue el primero. Antes que él nacieron tres varones y una hembra, pero todos murieron antes de cumplir el año. Goumba resistió. Se agarró a la teta de su madre con fuerza desde el primer día; comía poco si había poco y mucho si había mucho, trabajaba si había trabajo y si no había trabajo estudiaba, pero no se quejaba. Tenía los ojos grandes y la mirada seria, de hombre mayor, y era listo como el hambre. Tras él, vinieron más hijos que sobrevivieron, más bocas que alimentar pero también más felicidad. Su padre los quiso a todos pero a ninguno como a Goumba. A los demás los quería con un amor normal. A Goumba, con agradecimiento. Trajo la buena suerte. Por eso le ordenó que se marchara, porque sabía que la vida sería buena con él, que estaba destinado a traer felicidad a quienes le rodeaban, y le consiguió el dinero para el viaje, habló con unos y con otros, le preparó la marcha, estudió el itinerario, de Podor a Mauritania, de Mauritania a Marruecos, de Marruecos a España. Tal vez hubiera sido más sencillo ir a Dakar y embarcar en un cayuco, pero el mar le daba miedo. Prefirió urdir un viaje más largo, más penoso quizá, pero más seguro. Podía hacer el camino en autobús, o en camión o a pie, pero conocería a otros que emprendían la misma aventura y no estaría solo. Goumba no quería marcharse pero obedeció.

El día señalado se despidió de todos uno a uno, sin llorar, no porque no tuviera ganas, sino porque su padre le había pedido por favor que fuese un hombre y se aguantase las lágrimas, y aunque intuía que nunca más volvería a verlos a todos les hizo promesas de enviar regalos y billetes para España en cuanto estuviera instalado. Se acuerda mucho de ellos, pero trata de hacerlo sin ponerse triste. ¿De qué le sirve? De nada. Piensa que cuando podía rascarse no tenía tiempo, que cuando podía correr no tenía ganas, que nunca pensó que el agua sirviese para algo más que para calmar la sed.

Con su padre no ha podido hablar desde que está allí. Pregunta por él siempre que Paco le deja el teléfono, pero nunca le encuentra en casa cuando llama. Está bien. Se lo ha dicho su madre cuando le contesta y también se lo ha dicho Pilar, que habló con él en una ocasión y le contó que le encontró sereno y que le dijo que estaba seguro de que Alá encontraría una solución para el problema de Goumba. No conoce a Pilar tanto como a su madre, pero sabe que las dos le mienten. Sabe que su padre se siente culpable y que a esas alturas se estará cuestionando si de verdad un buen dios le haría tanto daño a su primogénito, pero no se imagina que ha estado en la cama semanas enteras, que se ha negado a asearse y a moverse, y que en los últimos días tampoco ha querido comer ni rezar, que se mantiene ajeno a sus otros hijos, a su mujer, a la gente que viene a verle y le pide que sea fuerte y que no se deje caer en el agujero de la pena y la amargura, y le recuerda que tiene más familia que depende de él y le insiste en que debe ver la buena suerte que ha tenido Goumba porque, de haberle pasado eso mismo en Senegal, estaría condenado sin remedio y en cambio le ha pasado en España, donde los médicos aún pueden hacer algo por él. No. Eso no lo sabe. Y tampoco sabe que a principios de agosto su madre entrará en la habitación a preguntarle si se encuentra bien y lo encontrará con los ojos abiertos mirando al techo, muerto de culpa y de pena y de inanición, y que su madre ya nunca podrá viajar a España para cuidarle porque no querrá dejar solos y huérfanos a sus otros hijos.

Porque Pilar tiene un plan: traerla con él. Se lo contó el mismo día que le dijo que había hablado con el director y que se había comprometido a ponerle en la cama de la profesora de física médica. Le dijo eso y luego le dijo y he pensado también que podría contratar a tu madre como empleada doméstica para que estuviera contigo. Pilar lo dijo como si no tuviera importancia, y Goumba, impresionado, reaccionó siguiendo su ejemplo, es decir, como si no la tuviera. Lo recuerda y cree que le dijo algo así como ah, o muy bien, o si tú lo crees conveniente, y se dispuso a escucharla con calma aunque sentía (sí, sentía) su cuerpo más vivo que nunca. Sentía el corazón dándole golpes en el pecho y sentía un hormigueo en los brazos y las piernas, y sentía dolor de estómago y también ganas de reír, que se habían perdido con la movilidad de su cuerpo el mismo día del accidente.

Pilar le explicó que había hablado con el abogado de la asociación de senegaleses y había recogido información en la Delegación del Gobierno, y que Cleopatra había hablado con el marido de su prima, que era periodista, y que habían tomado todos juntos un café y habían analizado la situación, que era ésta: como a su madre le exigían un permiso de trabajo para entrar en el país aunque viniese a cuidar a su hijo y la ley se había convertido en un obstáculo que la convertía en embustera aunque dijera la verdad, quizá lo mejor era ser una embustera, que dijera una mentira para que pudieran verse, así que Pilar se había ofrecido a hacerle un contrato. Goumba preguntó pero ¿tú tienes dinero?, y Pilar dijo sí, claro, además todo sería falso porque lo importante es que venga y luego ya se verá, y Goumba guardó silencio y Pilar dijo ¿estás contento?, y Goumba la miró sin decir nada y sonrió y luego ladeó la cara hacia la ventana y se echó a llorar, y así estuvo, llora que te llora sin perder la sonrisa días enteros, porque entonces no sabía que a su padre le matarían la culpa y la pena y que su madre decidiría quedarse en casa con otros hijos que podían moverse pero que a ella le parecían más débiles que él.

Por eso y porque pensó que quizá el sentido de todo ese sufrimiento, que la recompensa a todo ese sufrimiento, no estaba en el Paraíso, sino en ese hospital del que sólo conocía la planta baja, un ascensor, el pasillo, esa habitación, un sitio triste lleno de gente triste que se ayudaba entre sí.

María José se despertaba triste todas las mañanas. Solía soñar con Joaquín y eso le daba por el culo más que ninguna otra cosa.

—Será posible que ni una sola noche de tu vida hayas dejado de soñar con ese capullo —le decía Marga cuando se lo contaba por teléfono.

—Será.

—¿Y qué has soñado?

—Lo de siempre.

Lo de siempre era esto: María José se encontraba con Joaquín, a veces en sitios comunes (un bar, una playa, un parque, la puerta de un cine) y otras veces en lugares insólitos (el Palacio de Oriente, unos aseos de caballero, un quirófano, una cabina de sex-shop), y ella le preguntaba ¿por qué me has dejado?

—Encima.

—Encima, sí.

—Pero si le has dejado tú. Tendrías que hacerte mirar ese sueño.

—...

—Hay un libro muy bueno, de una escritora que se llama Clara Tahoces.

—Sí, lo conozco, *Sueños: diccionario de interpretación.*

—Deberías comprártelo.

—Sí.

—Sí.

La conversación se repetía todas las mañanas en términos parecidos. A veces incluía algo sobre los hijos de Marga, o sobre el trabajo de María José, o sobre Carlos, o sobre Pilar, o sobre el trabajo de Marga, o sobre los planes para el fin de semana, pero el sueño nunca faltaba. Sonaba el teléfono a las ocho de la mañana, y antes de ir a cogerlo María José ya sabía que sería Marga y que al descolgarlo, en lugar de hola, buenos días, escucharía ¿qué has soñado hoy?, y a continuación se reirían como si en lugar de tener tan cerca los cuarenta anduvieran rozando los diez. Un día, cuando Marga le sugirió a María José lo del libro, María José no le respondió que sí, sino que ya se lo había comprado y que después de leer los significados de soñar con una ruptura, con una separación y con un divorcio había llegado a la conclusión de que soñaba que era Joaquín el que la abandonaba porque realmente era él quien la había abandonado al no permitirle que le siguiera queriendo.

—¿Tú estás segura de lo que dices?

— Mujer..., todo lo segura que se puede estar de estas cosas...

—¿Serías tan amable de explicarme cómo impidió Joaquín que le siguieras queriendo?

—Siendo un capullo, como tú dices siempre.

—Pero es que Joaquín no se volvió un capullo de la noche a la mañana... Quiero decir que Joaquín siempre fue un capullo.

—Seguramente, pero yo no lo sabía.

—...

—Yo ya sabía que era egoísta, inmaduro y superficial. Ya sabía que le gustaban todas las tías, que me ponía los cuernos, que prefería irse de fiesta con sus amigos que salir a cenar conmigo. Ya lo sabía. Pero seguía creyendo que era amable, y cariñoso, y creía que quería construir una vida conmigo, un futuro, y me imaginaba que sería un buen padre, que poco a poco cambiaría..., bueno, más que cambiar, estaba segura de que comprendería que la vida a mi lado era mejor, que se enamoraría de mí de verdad, que se centraría...

—Que te haría feliz...

—Sí. Eso. Que me haría feliz. O que por lo menos se daría cuenta de que era infeliz.

—...

—Yo le habría seguido queriendo a cambio de muy poco, y para mí habría sido más fácil seguir con él que dejarle porque quererle es lo que he hecho toda la vida, quererle, esperarle, imaginarle, aguantarle... Pero me puso tan difícil seguir queriendo quererle que al final no pude esforzarme más.

—María José...

—¿Qué?

—En ese libro... ¿dice algo sobre soñar con toros que te persiguen?

María José se echó a reír, y aunque de vez en cuando se le escapaba alguna lágrima rebelde y traidora, entre risas le leyó a su amiga que sicológicamente el toro representa el inconsciente, y que soñar con toros podía ser un indicio de la energía creadora que lucha por salir al exterior, y también el reflejo de los instintos más primitivos que luchan por salir al exterior y, en cualquier caso, era un síntoma de una lucha interna que puede desgarrarnos por dentro, y la conversación sobre los sueños ya no volvió a repetirse porque a Marga aquella explicación (la del toro, la de la imposibilidad de seguir amando a alguien cuando te das cuenta de que no es como te habías imaginado que era) le dejó un dolor difuso que no supo ubicar hasta que mucho tiempo después comprendió que lo que le dolía era el alma.

Pero, con o sin conversación, María José seguía despertándose todas las mañanas con el regusto amargo del abandono de su marido. ¿Por qué me has abandonado?, y Joaquín le giraba la cara o rompía a llorar o le contaba que porque se había enamorado de otra, o le decía que porque no la soportaba. Y al día siguiente lo mismo, y al otro también, y al otro y al otro. A veces se despertaba de madrugada y en la oscuridad del cuarto trataba de hacer memoria exacta de lo que había soñado, pero se dormía antes de recordarlo. Mejor. Volvía a dormirse, volvía a soñar, volvía a despertarse con la certeza de que era él quien había terminado con la relación, y así era. No fue él quien se echó a llorar al ver una escena triste en una película mala. No fue él quien recogió sus cosas y se marchó a otro piso con las maletas y el perro. No fue él quien le dijo ya no te quiero y no quiero vivir más contigo, pero sí fue él quien no supo estar a la altura y por eso la mortificaba en el único lugar en el que seguía siendo tal como ella le había querido tanto, en sus sueños. ¿Por qué me has abandonado? Pero ¿por qué me has abandonado?

Pilar nunca le preguntó a Fermín por qué la abandonó. Primero se lo impidió la pena, después el orgullo, más tarde lo evitó Correos, que le devolvió la carta en la que le decía del mal que tenía que morir y le deseaba lo peor en esta vida, ya que había destrozado la suya y se había llevado su honra y su virginidad y su reputación y le había destrozado el corazón y le había robado la oportunidad de ser feliz y de creer en las promesas que se cumplen, y escribía una palabrota (cabrón) y luego otra (hijo de puta) y le echaba en cara que había tenido que enterarse de su boda en la tienda de la Zahonera, rodeada de viejas chismosas, al borde del desmayo, y volvía al insulto (cabrón) y le llamaba cobarde porque no la había respetado, bueno, sí, la respetó para no acostarse con ella en el asiento de un coche, pero no para decirle la verdad a la cara, y repetía tres veces más el segundo insulto (hijo de puta, hijo de puta, hijo de puta) y le advertía que sólo quería preguntarle una cosa y esa cosa era ¿por qué?, pero ¿por qué le había hecho eso?, pedazo de cabrón (no conocía demasiados insultos de esa magnitud y por eso usaba siempre los mismos y los repetía para que pareciesen más), por qué la había traicionado de esa manera, tan ruin, tan vergonzosa, tan despreciable que le robaba el consuelo de seguir queriéndole cuando le perdonara, si es que algún día conseguía hacerlo.

Escribió la carta, la metió en un sobre, puso el remite y el destinatario, la guardó en un cajón y la dejó ahí varios días sin saber si mandarla y humillarse definitivamente reconociendo sus sentimientos o si no mandarla y humillarse definitivamente dando la callada por respuesta. Al final, tantos desvelos no sirvieron para nada porque Fermín, a esas alturas, ya se había mudado a la casa que le consiguió Elin y Pilar recibió la única respuesta que no se había esperado: sus propias palabras recordándole que ya nunca sería feliz porque había perdido la capacidad de confiar en los demás. Hijo de puta. Cabrón. Cobarde. ¿Por qué me has dejado? Silencio.

Pudo habérselo preguntado también cuando chocó con él, literalmente, en la sección de perfumería de El Corte Inglés. Pilar, que no sabía que Fermín conocía todos y cada uno de sus movimientos y la había estado esperando inquieto por los nervios y mareado por tanto olor a perfume, no quiso recriminarle nada entonces para no estropear el momento exacto en el que se le había cumplido ese sueño (Dios mío, por favor, que me encuentre con él al girar una esquina, etcétera), cuando tenía en una mano un frasquito de Cartier que nunca se decidía a comprar y que ese día se llevó a la caja nada más que para que le diera tiempo a pensar qué actitud tomar si él se acercaba a saludarla, y también qué actitud tomar si se marchaba sin decirle nada. Pensó rápidamente y decidió: si se acercaba, le saludaría como si no le odiase con toda su alma, para que le doliese su indiferencia, y si no se acercaba le seguiría a donde fuese para gritarle delante de la gente que era un degenerado que no tenía ni la decencia de reconocerla.

—Pilar...

La voz de él, a su espalda, sonó igual que la que veinticuatro años antes le había dicho justo eso (Pilar) antes de marcharse. Era una voz cálida, grave, como de presentador de telediario cuando va a dar una mala noticia, y a Pilar le entraron unas tremendas ganas de llorar (por la emoción) y de hacer pis (por los nervios). Demoró cuanto pudo el instante de darse la vuelta. ¿Qué pensaría, al verla? Se había despedido de una niña y ahora se encontraría a una cuarentona con cara de antipática. Pero la había reconocido. ¿Cómo? Ella, que tampoco sabía que Toni *el Paleta* la retrataba en la distancia y le mandaba las fotos a un apartado de Correos en Mallorca, le había identificado gracias al reportaje del *¡Hola!*, porque si no podría haberse cruzado con él mil veces y no se habría dado ni cuenta de que ese hombre fibroso, moreno, con bigote y raya al lado que vestía un polo blanco, unos pantalones vaqueros y una americana negra era el mismo que se había hecho camarero con la única experiencia de ver cómo le servían las cervezas que se bebía.

—Pilar...

La voz, la misma, sonó esta vez más urgente y quizá algo temblorosa, como cuando al presentador del telediario le da pena contar que han muerto cientos de personas en un corrimiento de tierras. Ella respiró despacio y ordenó a sus dedos que no temblaran, firmó el papel que le tendía la dependienta, tomó de su mano el resguardo amarillo y vio cómo la joven se quedaba el blanco, y dobló el suyo y lo guardó dentro de la funda verde de la tarjeta de El Corte Inglés, y se dio la vuelta y le miró a los ojos y se le quitaron las ganas de cagarse en su putísima madre, de golpearle el pecho, de llamarle cabrón, hijo de puta, cobarde (varias veces, para que parecieran más de tres insultos), y de ignorarle, de tratarle con desprecio, de saludarle fríamente, como si no le hubiese tenido desnudo, dentro de ella, una vez y la vida entera después.

—Pilar...

Fermín levantó el brazo y le acarició el hombro y le dijo qué guapa estás, y ella sonrió y echaron a andar sin decir nada, preguntándose qué estaría pensando el otro. Pilar pensó que Fermín pensaría que estaba más vieja, que el pelo corto no acababa de sentarle bien y que debería engordar un poco. Él pensó que Pilar pensaba que había perdido pelo, que estaba demasiado moreno y que parecía un turista alemán. Pilar pensó que le temblaban tanto las piernas que acabaría cayéndose, que quería abrazarle y tocarle la cara con la mano y pedirle que no se marchase más. Fermín pensó que tenía un tic en la mejilla, apenas nada, un leve temblor, que delataba su nerviosismo, que no sería capaz de expresar todo lo que sentía, que quería detenerse en el pasillo y besarla allí mismo y pedirle que se marchase con él antes de que fuera más tarde, de que fueran más viejos, más infelices, más amargados, pero ninguno de los dos hizo lo que estaba pensando ni lo dijo tampoco.

No dijeron nada, de hecho. Subieron a la quinta planta y se sentaron junto a un ventanal por el que se veían los tejados y las antenas y las cúpulas y las torres de las iglesias del centro, y cuando llegó el camarero Pilar pidió un café con leche descafeinado y él un Chivas con hielo. Fermín carraspeó.

—Tengo mucho que explicarte.

—...

—No hice las cosas bien.

—... —Mirada al suelo.

—... —Mirada al Chivas.

—... —Suspiro.

—... —Nada.

Silencio.

—Pilar.

—...

—A mí no me gusta dar vueltas.

—...

—¿No dices nada?

Pilar dijo la verdad: que no sabía qué decir.

Se miraron. El tiempo se había eternizado y ellos no eran más que un par de viejos torpes que se sentían viejos y torpes. Pilar tomó un sorbo de café con leche porque la lengua se le había quedado seca dentro de la boca y en esas condiciones no se creía capaz de hablar.

—Sólo te pido una cosa.

—Pídeme lo que quieras.

A ella se le llenaron los ojos de lágrimas.

—No me hagas daño, Fermín.

Años antes, al pronunciar ella esas mismas palabras que los dos recordaban como si en lugar de dos décadas hubiesen pasado dos minutos, él le retiró la mano del muslo y entrelazó sus dedos con los de ella, pero ahora Fermín había mantenido las manos encima de sus rodillas para que no se le notase el sudor frío (los nervios, de nuevo), así que las sacó rápidamente de ese escondite para repetir el gesto de antaño y en ese tránsito entre el pasado y el presente derramó su whisky. Murmuró pero qué manazas, coño, e hizo el amago de devolver las manos a su lugar de origen (bajo la mesa, sobre sus rodillas), pero Pilar alargó las suyas y le acarició. Fermín se tranquilizó, por fin. Hicieron un gesto con los labios, algo así como una sonrisa. Habían tardado un buen rato en hablar, y más todavía en sonreírse, pero cuando lo hicieron, hablar y sonreírse, ya se habían perdonado.

—Eso nunca. Te lo prometo.

Después mantuvieron silencio un rato más, no por resentimiento, sino porque los dos tenían tantas cosas que contar y tantas que ocultar que no sabían por dónde empezar. Fermín comenzó a hablar. Le dijo que se había muerto el Paleta de cáncer de pulmón, que no había vuelto a Valencia desde que se instaló en Palma, que no había sido por falta de ganas, sino de oportunidad, que había venido al funeral de su amigo, que había encontrado muy cambiada la ciudad, más bonita, más pequeña de lo que recordaba, que se había dado cuenta de que era un viejo porque decía cosas de viejo como ésa, y se rieron, y él repitió es verdad, todo te parece más grande cuando eres pequeño, y cuando envejeces piensas cosas como antes aquí no había más que campo. Pilar le dijo tú eres joven, tienes cuarenta y siete, y él contestó, sí, ésa es mi edad, pero me siento mayor.

Pilar le contó que estaba casada, que tenía una hija, que era esteticista, que no le iba mal, y Fermín le ocultó que ya lo sabía. Fermín le contó que había aprendido idiomas, que viajaba bastante, que no tenía hijos, que no le iba mal, y Pilar le ocultó que le habían vuelto las ganas de abofetearle y de mandarlo a la mierda. Pilar le contó que habían vivido en Francia, que su hija era una adolescente rebelde, que su marido también viajaba mucho, y le ocultó que era infeliz casi todo el tiempo, que le echaba de menos como el primer día, que soñaba con el momento en que acudiera a rescatarla de esa vida de mierda en la que estaba metida. Fermín le contó que tenía un yate, que su madre había muerto, que conocía a los Reyes, y le ocultó que su mujer era buena persona pero no era ella y no la quería, que era un desgraciado (no en el sentido de pobre, en el de egoísta) porque cuando había tenido que elegir no había elegido ni con el corazón ni con la cabeza ni con la polla, sino con la cartera, que es como eligen los más miserables, y que lo peor de todo era que no se arrepentía nada más que a veces, cuando se daba cuenta de que habría sido inmensamente más feliz con ella.

Al cabo de un rato, Pilar ya no estaba enfadada por más que su parte orgullosa siguiera queriendo levantarse, tirarle el whisky a la cara, abofetearle, decirle me has arruinado la vida, cerdo asqueroso. Quería hacerlo, pero también quería escucharle hablar y quería que le pidiera perdón y no perdonarle, y quería demostrarle que no le importaba nada y que era una mujer de mundo, una mujer feliz. Lo malo era que tenía el cuerpo dividido. La cabeza le decía que lo hiciera (abofetearle y demás). El corazón le decía que lo hiciera (abrazarle y demás) y, sorprendentemente, las bragas le decían que le preguntase si había venido solo al entierro del Paleta y si su hotel estaba muy lejos.

No lo estaba, lejos. Y cuando lo estuvo, lejos, lejos en el tiempo y lejos también en la distancia tramposa de los recuerdos y de los sueños, esa que hace que acabes confundiendo qué pasó realmente y qué es un invento de tu imaginación, ya era demasiado tarde para peguntárselo. ¿Por qué me has abandonado? Pero ¿por qué me has abandonado?

Fermín no fue nunca consciente de haber abandonado a Pilar. De hecho, siempre creyó que volvería a por ella, que repetirían aquel día en el que fueron felices juntos y al mismo tiempo. Porque felices por separado lo habían sido cantidad de veces. Él fue feliz cuando Elin le organizó aquella fiesta sorpresa al cumplir cuarenta años, o cuando dieron la vuelta al mundo para celebrar que llevaban un año casados y gastaban el dinero y el tiempo a manos llenas, como si nunca se les fuera a acabar. Era feliz cuando pensaba cosas como ésa (que el dinero no se terminaría) porque sentía que le había dado esquinazo a la mala vida, a la mala suerte, que teniendo todos los números para perder había resultado ser un ganador. Ja. Un ganador que lo tenía todo y que sólo de vez en cuando, muy de vez en cuando, cada vez más de vez en cuando, se sentía un poco derrotado.

Qué hubiera pasado.

Qué hubiera pasado.

Qué hubiera pasado. Pero qué.

Había desarrollado la capacidad de apartar ese pensamiento pequeño, tres palabras, esa pregunta indiscreta. Tenía varias técnicas, que nunca incluían el alcohol porque había comprobado que le provocaban el efecto contrario y que, por alguna extraña razón, el sabor a madera del whisky le recordaba el gusto de la piel de los pechos de ella, que no sabía a madera ni a nada que se le pareciera, pero quién sabe los mecanismos que tiene la mente para que no nos olvidemos de que somos lo que somos, en su caso, un gran fraude y un hijo de puta. Por eso dejó de beber. Bueno, por eso dejó de beber en grandes cantidades, porque las borracheras le daban por llorar y su mujer estaba empezando a dar muestras de desconfiar de que todo ese llanto fuese por el desarraigo, más que nada porque cuando estaba sereno no parecía echar de menos a nadie de la Península. Le daba miedo que Elin le descubriera pensando en ella, equivocarse de nombre, reconocer en voz alta su error.

Pero si bebía poco, el dolor, cuando lo había, se amortiguaba. El recuerdo de la piel de los pechos de ella era agradable, era bonito acordarse de ese sabor, salado, y de ese olor que entonces le parecía bueno pero que ahora identificaba como colonia barata. Cerraba los ojos y era como si pudiera verla, desnuda en la cama, con esa cicatriz que le cruzaba la aureola del pezón izquierdo y que tenía forma de media luna y que ella le contó que se la hizo de pequeña, un día que se fueron de excursión, cuando estaba encaramada en una cerca mientras miraba un rebaño de ovejas y resbaló y se clavó la astilla de una estaca y su madre, antes de llevarla al veterinario, que era lo más parecido a un médico que había por allí, le arreó un bofetón que le hizo más daño que la propia herida, porque su madre era muy estricta y muy poco amiga de mostrar cariño, y ella estaba convencida de que cuando tuviera una hija se pasaría el santo día dándole achuchones y estrujándola y diciéndole que era la más guapa y demostrándole que era lo que más quería en el mundo.

Con los ojos cerrados, lo veía. La veía. Se veía, acercándose a la cicatriz, besándola, acariciándola con la lengua, y el otro pecho, también. Que no tenga envidia. Se reían. Lo veía con los ojos cerrados. Ella estaba nerviosa, y excitada, y él tenía tantas ganas de hacerle el amor que no sabía si podría aguantarse, porque quería meterse dentro de ella, ya, pero también quería que a ella le gustase. ¿Te gusta? Ella dijo que sí. Lo sabía. Podía verlo. ¿Te he hecho daño? Ella dijo que no. Entonces, el recuerdo le dolía, y cuando le dolía pensaba que dormía sobre sábanas de algodón egipcio, o que le hacían las camisas y los zapatos a medida, o que tenía un avión privado y si le salía de los huevos se plantaba en el Caribe en un pispás. Pensaba en las cosas que ya tenía, o en las que podía tener. Eso le hacía feliz. Ella se le iba de la cabeza. Y cuando volvía, porque siempre volvía al cabo de unos segundos, no le hacía daño y ya podía llamarla por su nombre. Pilar.

Fermín fue feliz la mayor parte del tiempo. No necesitaba mucho para serlo (feliz). Por ejemplo, cada vez que su mujer le decía malhumorada que le había bajado la regla, se ponía contento, no porque le gustase verla triste, que no le gustaba en absoluto, sino porque no le seducía la idea de tener un hijo con ella. Con Pilar, sí. A menudo fantaseaba con la idea de que esa niña, María José, fuese de él. Se imaginaba que de aquel único acto de amor había quedado una huella que le sobreviviría en el tiempo, que le haría eterno, que llevaría sus genes y los de su padre, y los de su hermano muerto, y que en

242

cierta forma los reviviría a todos. Le fastidiaba que no fuese cierto, le atormentaba que otro hombre le hubiera robado ese regalo, aunque era consciente de que ese sentimiento le convertía en un ser mucho más egoísta y retorcido de lo que le habría gustado admitir.

No tener hijos con Elin fue la única lealtad que se permitió tener con Pilar. Ésa, y no estar con ninguna otra mujer. Elin le debía a Pilar ser la envidia de todas sus amigas porque el suyo era el único marido que se mantenía fiel.

Ella pensaba que era porque la amaba y porque nunca le negó en la cama ninguna de sus fantasías. Fermín era un hombre sexualmente satisfecho, eso era verdad. Su mujer no sólo no rechazaba ninguna de sus sugerencias, que, por otra parte, tampoco eran nada del otro jueves (cuatro posturas, algo de sexo anal, una película porno y poco más), sino que de vez en cuando le sorprendía con un disfraz de enfermera, o de colegiala, o le susurraba al oído que había soñado que hacían un trío con una mujer, o le esperaba desnuda con una cámara que en realidad estaba apagada y le hacía creer que estaba grabando el polvo, y, lo más importante, nunca le decía que no cuando él la buscaba para hacer el amor.

Es más, se había impuesto como norma que no pasaran más de tres días sin que tuvieran relaciones, y cumplía esa regla a rajatabla. Incluso cuando había estado enferma, o cuando estaba muerta de la pena porque sus padres fallecieron en un accidente de coche, o cuando no le apetecía, y tenía la habilidad de hacerle creer a su marido que siempre tenía ganas. Su entusiasmo no sólo parecía sincero, sino que era contagioso y con cuatro carantoñas ya había conseguido que Fermín se empalmara. A Elin le gustaba hacer el amor, pero la verdad es que mantenía ese ritmo por tenerle contento. Pensaba que si en su casa tenía suficiente no le entrarían ganas de buscarlo fuera, y por esa misma regla de tres se esforzaba en que nunca faltara de nada, ni dinero, ni fiestas, ni risas, ni viajes, ni amigos, ni comida, ni servicio, ni entretenimiento, ni nada de cuanto un hombre pudiera soñar. ¿Era feliz, su marido? Sí. Nunca tuvo dudas. Pero la felicidad de él era como las ganas de follar de ella, como su fidelidad, es decir, aparente, porque Fermín le fue infiel a su mujer cada segundo de cada minuto de cada hora de cada día que estuvo con ella, desde el primer instante hasta el último, desde que le sirvió aquel refresco en la terraza del bar hasta que se murió, lo suficientemente drogado como para no sentir dolor ni miedo, pero no lo bastante como para no soñar con Pilar y para lamentar que no fuese ella quien le acompañase en ese triste momento.

Entonces, al estar a un paso de la muerte, se dio cuenta de que sus planes de volver a verla no iban a cumplirse, de que no tendría otra oportunidad de hacerse el encontradizo con ella donde menos lo esperase, ni de marcar los números que ella le había apuntado en una hoja de la libreta con el logotipo del hotel, el Astoria, que había al lado del teléfono.

Pilar cogió la libreta y le dijo te voy a apuntar mi teléfono para que me llames cuando quieras, aunque sé que no me vas a llamar. Pilar lo dijo para que él le dijera lo contrario (que sí pensaba llamarla), y aunque lo cierto es que en ese momento sí pensaba hacerlo (llamarla), lo que Fermín dijo fue que le gustaría que le escribiera las diez razones para no salir nunca más de esa habitación, para quedarse a vivir para siempre en la cuatrocientos seis. Tenía los dos documentos guardados en la caja fuerte hasta que le detectaron el tumor y le dijeron, sin paños calientes, que no tenía solución y que le quedaban un par de meses de vida. Entonces los destruyó para evitar que cayeran en manos de su Elin, porque la vio tan abatida con la idea de perderle que no quiso demostrarle que en realidad nunca le había tenido.

Leyó varias veces los dos papeles, aunque no necesitaba hacerlo para memorizarlos porque se los sabía de memoria. 963 919 025. En el otro, en el de los diez motivos, sólo había tres (no tener que preocuparnos por la ropa que nos vamos a poner, besarnos, hacer el amor hasta que nos muramos), porque cuando leyó por encima de su hombro lo que Pilar estaba escribiendo la abrazó con intención de hacer realidad lo que ella escribía, pero no hubo manera: ni se murieron ni hicieron el amor. Los nervios, el cansancio, el alcohol, todo junto, le dejaron inmune al deseo, así que sí acabaron saliendo del cuarto.

Fermín le dijo que tenía su *jet* en el aeropuerto de Manises y que podrían irse a donde quisieran. Te pongo el mundo a los pies, le dijo, pero Pilar no le rió la gracia y le dijo que su marido y su hija la esperaban para cenar, así que en lugar de ir a París o a Roma o a Londres, ciudades que Fermín dijo conocer como la palma de su mano y en las que conocía restaurantes, hoteles, rincones que eran un placer para los sentidos, fueron al cine.

Se metieron en el primero que encontraron y sacaron entradas al tuntún, sin fijarse en la película que proyectaban, que resultó ser *Dirty Dancing*. Entraron con una caja grande de palomitas y dos Coca-Colas, cogidos de la mano como dos adolescentes. Pilar lloró a moco tendido toda la película, pero no porque le importase el ir y venir del profesor de baile y la turista patosa, que se la traía floja, sino porque de vez en cuando chocaba con la mano de Fermín al ir a coger una palomita, una coincidencia que con Paco le producía fastidio y con María José indiferencia, pero que esa tarde le parecía el no va más de la culminación del amor. Parecían una pareja normal, en la oscuridad del cine, una de tantas, una de esas que después picarán algo en el bar de enfrente, quizá un pincho de tortilla y una ración de calamares, y beberán vino o cerveza mientras comentan la película, y después se irán paseando a casa y se acostarán y se darán un beso y se dirán buenas noches porque estarán cansados y sabrán que no hace falta que hagan el amor justamente en ese momento porque tienen la vida por delante para hartarse. Esa cotidianeidad que nunca habían tenido y que se la daba Johnny Castle entre baile y baile le hacía más feliz de lo que había sido nunca. Total, absoluta y absurdamente. Bueno, cuando nació María José fue muy feliz, pero de otra manera. Eso era como madre, y esto, en el cine, era como mujer. Y como mujer, se sentía más llena de dicha entonces que nunca, más incluso que unas pocas horas antes, cuando Fermín había estado desnudo frente a ella, dentro de ella, cuando la había besado y la había acariciado, y le había hecho el amor de nuevo, por fin.

Muchas veces había fantaseado con cómo sería ese momento, el momento de encontrarse de nuevo siendo dos adultos y no dos niños inexpertos, porque Pilar había decidido que los dos lo eran (inexpertos), aunque intuyera que Fermín ya se había trajinado a montones de chicas, de mujeres, de putas, en definitiva, porque había que ser un pedazo de putón verbenero para acostarse con alguien que no fuera el marido de una, o que, por lo menos, no tuviese intención de serlo.

Ella no entraba en esa categoría (la de pilingui, la de mujer de moral distraída, la de zorrón, en fin) porque sí pensaba casarse, algún día, con él, y porque él, aunque nunca le hubiera hecho la pregunta (¿quieres casarte conmigo?), sí le había hecho la promesa (ganaré dinero, volveré, me casaré contigo, te querré toda la vida) y con eso ya tenía suficiente.

Recordaba muchas veces aquella tarde, en casa del amigo de Fermín que se había ido al entierro del abuelo de su mujer. Fermín estaba nervioso y se sentía torpe. Eso la conmovió. También para él era la primera vez, porque nunca hasta entonces lo había hecho con nadie a quien amase. Así lo recordaba ella, o así prefería recordarlo, como un acto de amor más que como una experiencia sexual. Como lo primero, fue maravilloso. Como lo segundo, en pocas palabras, fue un horror.

¿Qué ocurrió? Fermín le dijo que se iba al baño y le pidió que quitase las sábanas de la cama y que la hiciese de nuevo con las que él había llevado envueltas con trozos de papel de estraza con los que la Zahonera envolvía la compra que hacía su madre y que luego ésta guardaba en un rincón de la alacena para envolver bocadillos y otros menesteres sin sospechar que su hijo les daría ese uso. Pilar obedeció: deshizo la cama y la hizo de nuevo, nerviosa como un flan y preguntándose si estaría a la altura de lo que Fermín esperaba de ella, si en comparación con las otras, las putas, ella no le parecería demasiado decente. Se preguntó, también, qué esperaría Fermín de ella, si preferiría que se estuviese quieta o que se moviese, si sería tierno o si le haría daño, si estaría tan nervioso como ella.

Entretanto, Fermín, en el baño, había orinado, se había lavado las manos y la cara y se había refrescado la nuca. Se miraba al espejo con los pantalones bajados hasta la rodilla y había decidido masturbarse porque a última hora le entró miedo de no empalmarse por la responsabilidad del momento (nunca había desvirgado a nadie). Cuando salió, se le había ido la mano (nunca mejor dicho) y estaba tan excitado que lo que le daba miedo era correrse antes de tiempo, así que se quitó la ropa rápidamente, se metió en la cama, le pidió a Pilar que se desvistiera y, en cuanto también estuvo dentro, se subió encima de ella, le abrió las piernas con las suyas y se la metió. A Pilar no le gustó. Le pareció frío y sin sentido y, sobre todo, rápido, porque no habían pasado ni veinte minutos desde que entraron en el piso. ¿Así que es esto?, le dijo a Fermín, y Fermín la miró, desconcertado y avergonzado, y no supo qué contestar.

¿Qué es lo que recuerda Pilar? Que pasados unos segundos de vacilación al oír la pregunta, Fermín la besó, retiró la sábana que la cubría y estuvo unos instantes mirando su cuerpo desnudo. Ella hizo ademán de volver a taparse, pero él se lo impidió. Quiero verte, dijo, y le acarició el vientre y recorrió con el dedo índice el espacio que separaba el ombligo del pecho izquierdo, y fue entonces cuando le descubrió la marca en forma de media luna, y la acarició y la besó, y le dijo que la quería más que a nada en este mundo, y le juró que ganaría dinero y volvería y se casaría con ella y la querría toda la vida. La vida entera, le dijo.

Cleopatra quiere creer que querrá toda la vida a Manuel, pero cada vez más a menudo se sorprende sin sentir ese amor profundo que le hizo ponerse el mundo por montera, tener una hija sin padre, guardar el secreto, marcharse del país. De hecho, con frecuencia se sorprende pensando que tanto esfuerzo no le merece la pena y que, de no ser por Ramona María, lo que le duraría la vida entera sería la sensación de que había desperdiciado los mejores años esperando a un señor que no se lo merecía.

Cleopatra quiere creer que lo suyo con Manuel es una historia de novela, de esas llenas de dificultades y trabas, de las que se enfrentan a las trampas de la vida y al desprecio de hombres y mujeres que no saben comprender la magnitud de ese amor. Quiere creerlo, de verdad, pero ya no puede. Han pasado muchos años (siete) como para no darse cuenta de que Manuel nunca la quiso y de que ella se empeñó en no ver la realidad, que es ésta: lo dicho (Manuel nunca la quiso); Manuel sólo quiso acostarse con una cubana; Manuel se dejó querer por ella; Manuel desapareció de escena cuando supo que tenía una hija.

Manuel era un hombre tirando a feo, pero contaba a su favor con el hecho de que a Cleopatra la belleza le pareciera una nadería porque estaba harta de relacionarse con tipos guapos. Además, la hacía reír continuamente y no le prometía nada que no pudiera cumplir. Ésa fue su perdición, la de Cleopatra.

Le conoció en el mercadillo de libros de la plaza de Armas, en La Habana Vieja. Los dos fueron a coger al mismo tiempo un ejemplar de *Luna Benamor* de Blasco Ibáñez. Huy, perdón, dijo ella. No, no, perdona tú, dijo él, y se dedicaron a hojear otros libros hasta que volvieron a coincidir de nuevo en el de Blasco Ibáñez, que se editó en 1909 y que incluía el cuento que le daba título y otros once más («Un hallazgo», «El último león», «El lujo», «La rabia», «El sapo» y «Compasión», y los bocetos «El amor y la muerte», «La vejez», «La madre Tierra», «Rosas y ruiseñores» y «La casa del labrador»). Se rieron y se separaron nuevamente. Ella no compró nada, no por falta de ganas, sino de dinero, y por el rabillo del ojo vio cómo él, finalmente, se llevaba la novela. Le dio rabia. Quería tenerla porque le había parecido una primera edición y a ella le entusiasmaba repasar las hojas que estaban a punto de romperse y que nunca se rompían, y le daba por pensar cuántos pares de ojos habían repasado esas mismas palabras antes que ella y eso le hacía sentirse parte del mundo.

Iba a marcharse hacia O'Reilly para ir hacia casa cuando alguien gritó señorita Benamor, se deja usted algo, y al girarse vio al hombre tirando a feo acercarse a ella con el brazo tendido y el libro en la mano. Para ti, le dijo. Ella dijo no puedo aceptarlo, y él dijo leámoslo juntos, y como a ella no le pareció mala idea se fueron juntos al Malecón, se sentaron en el borde y empezaron a pasar páginas: Cerca de un mes llevaba Luis Aguirre de vivir en Gibraltar... Eran las diez y cuarto de la mañana y, para cuando estaban llegando al final (tal vez su alma frágil de pájaro sobreviviese en las gaviotas que aleteaban en torno al Peñón; tal vez cantase en las espumas rugientes de las cuevas submarinas para acompañar los juramentos de otros amantes que llegarían a su hora, como llega la ilusión engañosa, la dulce mentira del amor, a darnos nuevas fuerzas para que sigamos nuestro camino), Cleopatra ya sentía que esa dulce mentira le estaba haciendo mirar con otros ojos a ese hombre barrigón y algo calvo con el que apenas había cruzado cuatro palabras desde que se habían sentado a leer esa novela menor.

Después sí hablaron. Mucho. Del trabajo (era celador en un hospital). De la familia (era el mayor de tres hermanos y sus padres acababan de separarse). De los amigos (había ido a La Habana con un grupo de compañeros de su planta). Del amor (no había tenido novias porque todas se iban con los más guapos). Del futuro (quería formar una familia, tener cuatro hijos, ayudarlos a hacer los deberes, acompañarlos al médico). De sus aficiones (le gustaba leer, escribir, ir al cine, dormir). De sus sueños (formar una familia, ser feliz). Hablaron de él el resto del día. Cleopatra no tenía demasiado que decir, así que prefería que fuese Manuel quien llevase el peso de la conversación.

Por la noche cenaron juntos en La Bodeguita del Medio y bailaron en el Café Cantante. Acabaron en la habitación de su hotel (el hostal Valencia) y ya no salieron de allí el resto de la semana.

Hicieron el amor incansablemente, como si no fueran a tener más oportunidad. Sólo salían para comer o para comprar comida, o el tiempo justo para que las camareras aseasen la habitación. Iban a todos los sitios cogidos de la mano. Cleopatra mandó aviso a sus padres de que no volvería en siete días y contactó con el trabajo para advertir que estaba enferma. Manuel convenció a los carpetas del hotel de que Cleopatra no era una jinetera, sino su novia formal y a sus amigos no volvió a verlos hasta que coincidieron en el aeropuerto para regresar a España. También a ella la convenció de eso (de que era su novia), a base de regalos, de besos y de promesas. Cuando le despidió en el José Martí, Manuel había adelgazado siete kilos y ella ya estaba embarazada. Ninguno de los dos sabía que no volverían a verse. Los dos estaban seguros de que habían encontrado al amor de su vida.

Joaquín no supo nunca muy bien qué era el amor. De hecho, a día de hoy sigue sin saberlo. De un tiempo a esta parte, su cabeza da demasiadas vueltas y no sabe por qué.

Feli le dice que es porque la inminente muerte de María José le está poniendo frente a su propia vida, pero a él esa explicación no le resulta suficiente. Vale. De acuerdo. Es posible que saber que ella va a morir le haga reflexionar acerca de por qué no pudo quererla como María José necesitaba que la quisieran, pero ¿y lo de antes? ¿Por qué tiene la sensación de que antes —y cuando dice antes quiere decir toda su vida— ha sido poco más que un trozo de carne con ojos que se dejaba llevar? Ahora —y cuando dice ahora quiere decir desde hace tres meses— es consciente de tener sentimientos que desconocía y en los que encuentra los motivos que explican conductas para las que no encontraba explicación.

Ahora puede poner palabras a ese maremágnum incomprensible que era su cabeza y que había renunciado a comprender. No lograba entender por qué la misma acción o los mismos comentarios hacían gracia o eran de mal gusto según quién los hiciera. En su caso, sabía que tenía la suerte de su lado: siempre era gracioso, seguramente porque ser alto y guapo era más importante que el mensaje o la acción.

El mundo entero era demasiado grande y se resignó a quedarse sólo con un trocito. Miró a su alrededor y vio que al fin y al cabo era lo que por naturaleza hacían los demás, así que decidió dedicarse sólo a una de sus partes, la que dominaba, porque le era más cómodo. Por eso jugó al fútbol aunque no le apasionaba (porque era lo que todos decían que mejor hacía); por eso abandonó los estudios aunque se le daban bien (porque fue lo que hicieron todos sus amigos); por eso se dedicó a beber y a enrollarse con cualquier tía aunque no le gustara ni lo uno ni (todas) las otras (porque se dio cuenta de que le admiraban por esa habilidad para emborracharse sin perder el sentido y de ligarse a cualquiera); por eso se casó con María José (porque comprendió que se había quedado solo, aunque no estaba seguro de que fuera ni un buen motivo ni una buena decisión).

Cuando empezó a darse cuenta de que se estaba enamorando de ella, apartó ese pensamiento de su cabeza. No es que no quisiera, es que le daba miedo pero tampoco sabía expresar ese temor. Hacía tiempo que había renunciado a responder todas las dudas que le asaltaban en ese sentido. Una. ¿Cuál era la diferencia entre amor y cariño? Otra. Si el amor no implica sexo, ¿se puede amar a todo el mundo? Otra. ¿Amar los objetos no es una depravación? Otra. ¿Amar es un sentimiento o una acción? Y otra más. ¿Podría existir una escala de medir el amor? Si existiera, la escala, María José estaría, sin duda, en el punto más alto.

Ha convencido a Paco para que le deje pasar un rato

con ellos todas las mañanas. Para eso, ha tenido que comprometerse a no hablarle, porque a Paco le parece una especie de traición a María José confraternizar con ese indeseable (Paco cree que le dejó porque se cansó de que le pusiera los cuernos), pero al mismo tiempo le da lástima impedir que se despida de ella. También ha tenido que jurar que no le dirá a nadie que de diez a once y media está en la 126 del Sánchez Díaz-Canel, porque aunque Pilar ya no le hostiga como antes, no puede ni imaginar su ira si se enterase de que le ha ocultado que Joaquín ha entrado en escena.

En eso está totalmente de acuerdo, porque nunca soportó a su suegra. Por la discreción de Goumba no se preocupan ninguno de los dos, porque el pobre chaval todavía no domina el idioma y se pasa casi todo el rato con los ojos cerrados, fingiendo que duerme, o con la cabeza ladeada hacia la ventana, mirando el tiempo pasar. Él no va a decirle a Pilar que su marido deja que el ex marido de la niña le coja la mano, se la acaricie, se tumbe a su lado, le dé besos en la mejilla, haga como que todavía están casados, le recuerde buenos momentos, le obvie los malos, se levante de la cama, vuelva a echarse al cabo de un rato y otra vez lo mismo (mano, caricias, besos, recuerdos), hasta que se marcha con la tranquilidad de estar haciendo lo correcto, de no dejarla en la estacada en ese último momento.

Desea que muera estando él en la habitación, para tener la certeza de haber estado junto a ella al final, ya que no supo estar el resto del viaje, y es en uno de esos momentos de sosiego, en el pasillo del hospital, cuando se hace una pregunta (más) que le llena de desconcierto y que le obliga a sentarse en el suelo y a llorar como un niño. Amparo Monzó, la enfermera, pasa en ese momento por ahí y da por sentado que María José acaba de morir, y va corriendo a la habitación y cuando entra y se encuentra a Paco leyendo el periódico en voz alta para que Goumba se familiarice con el idioma, se marcha pensando que Joaquín es imbécil, pero luego se arrepiente de ese pensamiento porque comprende que su sufrimiento debe de ser insoportable, así que cuando vuelve a pasar por su lado se detiene un instante y le pone la mano en el hombro y le pregunta si está bien, si necesita algo, sin sospechar que Joaquín, en ese momento, no está llorando porque le apene la muerte de María José, sino porque acaba de llegar a la conclusión de que su mujer estaría en lo más alto de esa escala del amor, cierto, pero en realidad no le quiso a él, sino al Joaquín que se había inventado; de que María José fue una egoísta que nunca se molestó en conocerle, en averiguar si en realidad él era como ella se había imaginado.

Paco imagina desnuda a Cleopatra. No puede evitarlo. Ese pensamiento le avergüenza cuando la ve por la mañana. Tiene la absurda sensación de que ella se da cuenta de que por la noche se ha dormido construyendo su desnudez, o deconstruyéndola, según la filosofía de Ferran Adrià con la tortilla de patatas. A él, lo de la tortilla, le parecía una gilipollez, con todo el respeto que le merecía el cocinero, pero se preguntaba a qué venía ese gusto de comer tortilla con cuchara, en una copa de cava, abajo la cebolla, arriba la patata y por encima el huevo batido. Que estaría buena, ojo, no iba a ser él quien dijera que no, pero lo que sí decía es que donde estuviera un bocadillo, de los de toda la vida, de esos tan gordos que tienes que hacer esfuerzos para masticar el bocado, que se quitaran todas las moderneces.

Solía pensar esa tontería y otras parecidas cuando conducía el camión, en esa otra vida en la que los problemas se reducían a su pésima relación con su mujer. Ahora se acuerda de eso y le da la risa floja, y a continuación le entran ganas de llorar. Se acuerda de la vez que quiso suicidarse porque le parecía que su vida era una mierda, y se alegra de no haberlo hecho entonces para poder hacerlo ahora, cuando muera su niña. Bueno, eso lo pensaba antes, hace unos días, cuando la deconstrucción del cuerpo de Cleopatra todavía no había entrado en su vida. ¿Será posible? ¿Será posible que a estas alturas?... Pues sí. Es posible.

La teta de Cleopatra, pequeña y algo caída, con ese pezón tan grande y tan oscuro, le ha dado un aliciente para seguir viviendo. Mejor dicho: otro aliciente para seguir viviendo, porque el de estar con María José un poco más, un día más, ya lo tenía de antes. Lo que pasa es que éste, el de Cleopatra, está lleno de alegría, y eso es algo a lo que ya no está acostumbrado.

Lleva en ese hospital casi cuatro meses, desde el 10 de abril, y se ha habituado (tanto) a que le ronde la muerte que esa explosión de vida le ha dado ganas de sobrevivir. ¿Y si todavía pudiera? ¿Y si la vida continuara, a pesar de todo? Piensa en todos esos padres con los que se ha cruzado en el pasillo, en el ascensor, en el aparcamiento. Padres abatidos, destrozados, que se aferraban a sus otros hijos, a sus mujeres, a su fe, para seguir viviendo. Ya ni siquiera mira mal a la profesora de física médica. De hecho, cuando le dieron el alta sólo se alegró de perderla de vista porque eso significaba traer a Goumba a la habitación, pero ya no quedaba nada de la inquina de las primeras semanas. De hecho, la envidiaba. Los envidiaba por ser capaces de conformarse con ese destino, mil veces mejor que el suyo (desde luego), pero ingrato al fin y al cabo. Los creyentes son más felices que los no creyentes. Lo leyó una mañana en el periódico, y miró la cama de su hija y la cama de la profesora y se dio cuenta de que era verdad. Ellos le encontraban un sentido a ese sufrimiento, eran más tolerantes con el dolor (como decía el reportaje) y se los veía hasta cierto punto contentos con su nueva situación. Le preguntó al hijo si podía leerle el artículo y, mientras lo hacía, veía de reojo cómo el otro cabeceaba asintiendo cada palabra que oía.

—¿Es cierto esto que dice? —le preguntó Paco.

—Por supuesto —contestó, ufano, el sacerdote—. Eso de que la solidez del juicio moral afecta al gozo de la vida no puede ser más verdad.

—...

—¿Qué es lo que no entiende, Paco?

Paco dudó antes de contestar.

—No entiendo nada. —Los dos sonrieron—. Pero lo que menos puedo comprender es qué puede haber de positivo en esta situación. Ya no hablo de la mía —miró a María José y la acarició—. Mi hija va a morir, la voy a perder... Pero ¿y su madre? Ya no volverá a trabajar, perderá autonomía, su vida cambiará para siempre... ¿Cómo pueden no cuestionar los motivos de un Dios que les impone ese destino?

—En el periódico lo expresa muy bien: hacer lo que creemos que debemos nos hace más felices que hacer lo que queremos. Yo querría hundirme, a veces, pero sé que no debo hacerlo. Nosotros creemos que tenemos que hacer esto: aceptarlo, dar gracias porque podría haber sido mucho peor, intentar adaptarnos y ayudar a quienes están a nuestro lado. Tal vez concentrarnos en esas tareas hace que no tengamos tiempo de lamentar nuestra propia situación. Es verdad que mi madre no volverá a dar clases, pero puede seguir leyendo, puede seguir aprendiendo e incluso enseñando, de alguna manera. ¿Que necesitará ayuda? Por supuesto. Se la daremos encantados. ¿Sabe qué? También nosotros, cuando nacimos, éramos dependientes y recibimos toda la ayuda y todo el amor para dejar de serlo sin que nadie se cuestionara que era pesado cambiarnos pañales, ayudarnos a comer, enseñarnos a vivir... Es tiempo ahora de devolverles todo ese trabajo.

—Pero su madre no se va a recuperar...

—No diga eso —protestó—. Sí se va a recuperar. Quizá no totalmente, pero mejorará con la terapia, con la rehabilitación... Y, en última instancia, cuando Dios la llame con él, recobrará todas sus facultades y vivirá para siempre al lado de Él. Yo sé que ustedes no son practicantes..., pero seguro que sí son creyentes, de alguna manera. En lo que me ha leído también dice algo así. —Cogió el periódico y leyó en voz alta—. «La innata búsqueda de sentido en las mentes de los niños es un factor que los acerca a la fe. Si lanzáramos a unos cuantos a una isla y permitiéramos que se educaran ellos solos, pienso que creerían en Dios.» Busque en su interior. Seguro que encuentra fuerza para seguir adelante.

Paco volvió a mirar a su hija, inmóvil.

— Le agradezco sus palabras... Pero no soy capaz de encontrarle un sentido a todo esto.

—¿Un sentido? ¿Cree que sólo hay uno? Se equivoca. Para usted, para su esposa, para su hija... Son completamente diferentes. El que puede tener para María José es algo que usted no será capaz de entender, por muchos motivos. En primer lugar porque, por mucho que los padres amen a los hijos, por mucho que los conozcan, sólo perciben una dimensión, la de padres, igual que los hijos sólo conocemos al padre y a la madre y no al hombre y a la mujer que hay detrás de nuestros progenitores. No podemos entenderlos en toda su magnitud, porque desde el momento de nuestro nacimiento los conocemos sólo en esa faceta y esa parte pasa a formar un todo. Si un padre está contento, el hijo cree que es por él, y si está enojado piensa que es por algo que ha hecho mal. ¿No está de acuerdo conmigo?

Paco asintió en silencio y pensó que tal vez ese hombre no era tan estúpido como había creído.

—A los padres les ocurre lo mismo —sonrió—. No me mire así. No hace falta tener hijos para darse cuenta de eso. Yo soy hijo, y escucho a muchos padres y madres, y a muchos hijos, acudir a la iglesia con ese mismo problema. Para los padres los hijos son siempre esos niños que los necesitan para todo, que tienen el cerebro aún en formación, esos eternos adolescentes que hacen y dicen tonterías. —Los dos sonrieron—. Por mucho que usted haya conocido a María José, hay aspectos de su hija que nunca sabrá. No son secretos. Son matices, detalles que la convierten en una desconocida.

— ...

— No le pido que esté conforme con el accidente de María José, ni con esta agonía. Sé que perder a un hijo es la peor tragedia que puede imaginar un ser humano. No es natural. Pero le aseguro que hay una explicación para todo, una justificación para cualquier acto que nos parece incomprensible. Dios sabe lo que es: él vio morir a su hijo en la cruz en medio de grandes sufrimientos, y oyó cómo Jesucristo le recriminaba «¿Por qué me has abandonado?». Pero no lo hizo. No le abandonó. Al tercer día, Jesucristo resucitó de entre los muertos y subió a los cielos, junto al Padre. ¿Por qué hizo eso Dios? Porque con su muerte física, con su sacrificio, Jesús redimió a todos los hombres de sus pecados y nos garantizó la vida eterna. No le pido que lo crea ni, por supuesto, que se alegre. Le pido tan sólo que lo piense. Que piense que la muerte de María José tiene un significado aunque usted no lo pueda ver ahora. Confíe en eso, al menos.

Por alguna extraña razón, Paco se sintió mejor después de esa conversación, y las palabras del cura (al que desde ese momento se refiere como a Andrés y no como al hijo de la profesora de física médica) le vinieron a la cabeza la primera noche que se durmió deconstruyendo la desnudez de Cleopatra. Abajo el pecho, luego la boca, sensual, entreabierta, amable, y encima del todo, su sexo húmedo, acogedor, dispuesto, alegre. Bienvenido, Paco. Bienvenido.

Al despertar, notó que había manchado las sábanas con su semen. No era consciente ni de haberse masturbado ni mucho menos de haberse corrido, pero la certeza de haber recuperado esa parte de su cuerpo, la sexualidad, le llenó de felicidad. Estaba vivo, coño.

Le da vergüenza saber lo que le pasa cuando se cruza con Cleopatra, pero al mismo tiempo le parece que a ella no le molesta. Incluso, una mañana, le dio la impresión de encontrarse con sus ojos en el espejo mientras se vestía después de la ducha, que, de un tiempo a esta parte, siempre se da cuando él llega a la habitación. Por si acaso no se había dado cuenta de ese detalle, una mañana le dijo que si a él no le importaba prefería asearse cuando ya hubiese llegado porque le daba intranquilidad dejar sola a María José y porque, además, así podía dormir un poquitico más. Paco le dijo ¿y a mí por qué me va a importar, criatura?, tú dúchate cuando quieras, pero mientras lo decía notó que se ponía rojo como un tomate porque en realidad estaba pensando en volver a verle las tetas.

No siente nada por Cleopatra, porque ni la conoce ni tiene ganas de conocerla, pero es consciente de que a esas alturas de la vida, en medio de toda esa muerte, le debe a una desconocida las ganas de vivir.

Agosto

El día de la muerte del padre de Goumba Samb falta un mes y seis días para que muera María José, pero ese 3 de agosto de 2007, que amanece lluvioso y algo frío para la época, nadie sabe ninguna de las dos cosas. La noticia del padre de Goumba tardará en llegar, porque con el disgusto del fallecimiento y los trámites para el entierro, a la madre no se le vendrá a la cabeza la manera de avisar a su hijo sin que le cueste dinero, de modo que tendrá que esperar a que Pilar la llame por teléfono para decirle que ha puesto en marcha el proceso para traerla a España, y después de dejarla hablar, por educación, unos minutos que se le hacen eternos le dirá con voz temblorosa que no va a poder hacerlo porque se ha quedado viuda y debe cuidar del resto de sus hijos. ¿Y qué pasa con Goumba?, preguntará Pilar, y la madre le dirá si me voy, mis otros hijos se quedarán sin nadie, y Pilar insistirá en su pregunta (¿qué pasa con Goumba?), y la madre le dirá Goumba la tiene a usted, y le colgará el teléfono porque Pilar se quedará callada y la otra, en Podor, pensará que la comunicación se ha cortado y tampoco tendrá nada más que decir.

Pilar se queda unos instantes anonadada con el auricular en la mano. Y ahora ¿qué le dirá a Goumba?, después de tantas promesas, ¿cómo le explicará que no puede hacer nada por él? ¿De verdad? ¿No puede? La voz le habla dentro de su cabeza y ella esta vez le contesta que no, que no puede, que ya ha hecho mucho, que le ha proporcionado cariño y una red de amigos para sostenerse, que le dice el tiempo que hace en su tierra, que le ha llevado a la habitación de María José, que le ha tratado como a un hijo, mejor que a un hijo, mejor que a su propia hija, porque a él se lo ha dado todo sin pedirle nada a cambio. La voz le replica: sí, no le has pedido nada pero él te ha dado mucho. Pilar se enfurruña. ¿Qué me ha dado él?, ¿qué, si no puede mover ni un músculo? Faena, eso me ha dado. Trabajo y dolores de cabeza. Cuelga el teléfono y se echa a llorar, un poco por Goumba y un poco por ella. La voz tiene la delicadeza de esperar a que su llanto pare, al cabo de un rato, y de que se tome la tila que se ha preparado después de tirar el café que se había hecho antes, para seguir dándole la matraca. Goumba te ha dado más de lo que crees. Pilar no le responde pero se echa a llorar de nuevo porque se imagina lo que la voz va a decirle esta vez. Te ha dado la posibilidad de ser generosa, de recuperar el afecto sincero, de tratar bien a otra persona, de no envenenar ni tus palabras ni tus gestos, de ser honesta, de ser feliz.

La voz dice la verdad. Pilar es otra Pilar y se lo debe a Goumba. Su hija se muere y ella se desvive por hacerle la vida más fácil a un muchacho a quien apenas conoce pero que representa todo lo que ha dejado pasar. Goumba, la sonrisa de Goumba, la mantiene cerca de la vida que merece vivirse. Goumba es la excusa, lo sabe. Pero de no ser por él no tendría ningún motivo para seguir viviendo después de las seis y dieciocho minutos del 9 de septiembre, aunque para ella esa fecha no sea más que un número en el calendario, igual que lo era el 10 de abril, una fecha como otra cualquiera. Y sin embargo...

Va antes al hospital. Quiere hablar con Paco, contarle lo que ha ocurrido, buscar una solución con él. Comprende que se extrañará, porque lleva años (demasiados) tomando decisiones sin contar con su marido. Ahora se arrepiente. Tanto tiempo perdido.

Lo encuentra mirando por la ventana, de espaldas a la puerta abierta. Le hace un gesto a Goumba (se pone el dedo sobre los labios, calla, no digas nada) y sin pensarlo demasiado le abraza por detrás y deja descansar la cabeza sobre la espalda de él. Huele su camisa (Ariel) y nota también la colonia que se echa en el pelo para peinarse (Heno de Pravia), y siente una pena inmensa por el mismo pensamiento que ha tenido hace un momento (tanto tiempo perdido). En esa postura y en castellano, para que Goumba no los entienda, le cuenta lo que ha pasado, le pregunta por qué no se lo llevan a casa, por qué no contratan a Cleopatra (cuando María José muera). Al oír esas palabras que Pilar ha dicho casi sin pensar, Paco se da la vuelta y la mira a los ojos, y ella sigue hablando sin ser consciente de haber pensado antes lo que está diciendo, como si estuviera escribiendo de forma automática y el inconsciente venciera la censura.

—¿Por qué no nos separamos, Paco?

Y Paco la vuelve a mirar y la abraza muy fuerte y le dice que sí.

Marga le dice que sí a Carlos cuando le pide que se casen. Ella siempre ha sido reacia, no sabe por qué. No quiere poner nombre a una relación, amigos, novios, matrimonios. Le parece absurdo hacer lo que hace todo el mundo nada más que porque lo hace todo el mundo. No ha sentido la necesidad de formar parte de la rueda de la burocracia, de pedir la partida de nacimiento, de dar fe de que no es bígama, de prometer delante de nadie que le querrá y le cuidará en lo bueno y en lo malo hasta que la muerte los separe. Ni siquiera son pareja de hecho. ¿Para qué?

Carlos se lo ha pedido muchas veces, de muchas maneras. Con una rodilla en tierra, con un anillo dentro de una caja dentro de una tarta de mousse de limón (su favorita), con una carta que le da su hijo mayor mientras le dice mira lo que me ha dado papá para ti, con una sonrisa, con mal humor. La respuesta siempre ha sido la misma no, no, no, no, no. Pero un día le dice que sí sin que Carlos tome la iniciativa de pedírselo. Es miércoles, viene de visitar a María José y la ha encontrado muy decaída. Tampoco sabe explicar qué es lo que ha visto diferente en una mujer que lleva inmóvil más de cuatro meses, que tiene los dedos de las manos atrofiados, que no reacciona ni a las palabras de cariño ni a las de desesperación. El mundo ha dado un giro de ciento ochenta grados y ella no se ha dado cuenta. Pilar es más amable. Paco es más alegre. Joaquín es más humano. Marga es más vulnerable. Sobre todo los miércoles.

Y ése, ese miércoles, llega a casa y Carlos ya ha hecho la cena (ha abierto el *tetrabrik* de gazpacho y ha puesto en una fuente el contenido de una bolsa de ensalada lista para servir), y tiene a los dos críos sentados a la mesa, esperándola. La recibe con un abrazo, le pregunta cómo está, le dice que la quiere y le pide que se cambie y se relaje y se siente a cenar. Va detrás de ella al dormitorio, le pregunta si necesita algo, si le apetece hablar. Marga dice que no, que no tiene ganas. Dice la verdad. No tiene ganas de contarle que esa tarde Pilar le ha contado que Paco y ella han decidido separarse dentro de unos meses, y que las dos han sido conscientes de que ese dentro de unos meses no es más que un eufemismo para referirse a que lo harán (separarse) en cuanto su hija deje esa habitación, que no es más que otra forma de decir cuando María José se muera sin decirlo.

—¿Y por qué ahora?

—Porque no nos queremos.

—Pero Pilar...

Marga carraspea y no sabe cómo decir lo que tiene en la cabeza. Pilar sonríe, apenada, como los payasos tristes en la pista del circo.

—Lo sé... Nunca ha parecido que nos quisiéramos...

—Yo no he dicho eso.

—No hace falta que lo digas. No hemos sido un matrimonio ejemplar, y eso que Paco sí me quiso, al principio. Pero yo no supe quererle. No supe querer a nadie, en realidad, ni siquiera a María José.

—Joder, Pilar, no digas esas cosas. Tú lo has hecho lo mejor que has podido, aunque te hayas equivocado.

—¿Tú crees?

Marga se encoge de hombros.

—Claro... Ser padre no es nada fácil... Yo lo sé ahora que lo soy. Me acuerdo de los míos un montón de veces, de lo mal que se lo he hecho pasar y de lo mal que me lo hicieron pasar ellos a mí por cosas que no entendía y que ahora comprendo perfectamente.

Las dos se ríen.

—Aprendemos a ser hijos cuando somos padres —dice Pilar.

—Y padres cuando somos abuelos —se ríe Marga.

—...

—Perdona, Pilar, no debería haber dicho eso...

—No. Está bien. —Mira la cama de María José—. Ya sé que no voy a ser abuela.

Marga se acerca a Pilar con intención de abrazarla, pero se detiene en el último momento (no está segura de que Pilar haya cambiado tanto como parece) y sólo le acaricia el brazo.

— A María José le gustaría.

—¿Le gustaría que nos separásemos?

—Le gustaría lo que haces por Goumba, y le gustaría que Paco y tú fueseis felices.

Sonríen, de nuevo.

—¿Me dirás hoy por qué se separó ella de Joaquín?

—Porque tampoco él era el hombre de su vida.

Así que, cuando Marga se sienta a la mesa para cenar, mira a Carlos y piensa que ha engordado, que está perdiendo pelo, que en la barba le están saliendo canas, que el pecho también le blanquea. ¿Qué miras?, le pregunta él. Nada, le dice ella, pero sigue mirándole y lo que ve le gusta. A su hombre, a su lado; inclina un poco la cabeza y observa que tiene las piernas cruzadas por debajo de la silla, que calza unas chanclas y que viste un bañador. Le enternece. Deberían estar en la playa, en el camping de Calpe al que van todos los años, pero ese verano Marga no ha querido alejarse de María José, por si acaso. Ella no se ha cogido vacaciones con el pretexto de poder acumularse días, pero en realidad lo que no quiere es estar ociosa porque le da miedo pensar, así que Carlos se lleva todos los días a los críos a la playa de excursión, unas veces a la Malvarrosa, otras veces más lejos (a Denia, a Moraira o a Peñíscola, cada vez a un sitio distinto), y los convence de que ninguno de sus amigos ha pasado un verano igual, Valencia entera sólo para ellos tres. A Marga le gasta todos los días la misma broma: ha ligado con una inglesa que pensaba que era un joven padre separado, y ella a veces le ríe la gracia y otras veces no.

Esa noche le mira y se pregunta si alguna vez será verdad, si alguna vez alguien le mirará y verá lo que ella vio hace dieciocho años, que son los que llevan juntos, y lo que la prisa, la costumbre, la monotonía, le han impedido ver todo ese tiempo. A su hombre, a su lado. Así que le dice hace mucho que no me pides que me case conmigo, y él, pensando que lo dice de broma, se levanta de la silla, se acerca a ella, se arrodilla, coge una aceituna rellena de anchoa de la ensalada (sus hijos se ríen) y se la coloca en el dedo a la fuerza y le dice ¿quieres casarte conmigo?, y ella le dice que sí. ¿De verdad? De verdad.

Más tarde, en la cama, él vuelve a preguntarle si lo ha dicho en serio, y ella le contesta que sí. Carlos le pregunta por qué, y ella le dice porque eres el hombre de mi vida.

Cleopatra pensó que Manuel lo era, el hombre de su vida, aunque le conocía de muy poco tiempo como para llegar a esa conclusión, pero si los caminos del Señor son inescrutables, los del corazón lo son más todavía. Los dos primeros meses se cruzaron cartas sin parar, y la palabra «cruzar» no está elegida al azar: las cartas se cruzaban en el océano, porque las escribían a un ritmo tan frenético que no daban tiempo a recibir la respuesta del otro para continuar la relación epistolar. Más que cartas, eran diarios en los que ambos dejaban volar al poeta que llevaban dentro. Manuel escribía vivir es sufrir y desde que estoy contigo estoy más vivo que nunca. Ella le hablaba de los lugares que ya no serían los mismos sin ellos, de la herida que le dejaba su ausencia, de la fuerza que había descubierto en su corazón. Se dijeron cientos de cosas, siempre por carta, porque era más romántico que el teléfono, de modo que a Cleopatra no le pareció extraño escribirle que estaba embarazada, y tampoco se sorprendió de que él confesase por la misma vía que en realidad ya estaba casado y no podía hacerse cargo de ese problema. Fin del amor.

Lo que más le dolía a ella, después de todo, no era que aquello hubiera acabado, sino que lo hubiera hecho así, como un frenazo brusco. Cleopatra hubiera preferido un final digno de aquel principio glorioso. Que le hubiera escrito un amigo anunciándole que había muerto, o que hubiese dejado de escribirle para que ella imaginase otro final. Pero ése, tan ruin, tan indigno, no se lo perdonaría en la vida.

Criar a su hija sola no fue lo peor. De hecho, en su familia estaban acostumbrados porque su hermana, la jinetera, cada dos por tres iba a la casa con un embarazo o con una amiga preñada a la que acogían hasta que daba a luz, y el enfado de los padres duró nada más que hasta que nació la pequeña y se volvieron locos de amor por Ramona María. Lo peor fue la desconfianza. No estaba segura, pero tenía la duda. ¿Y si todos los hombres fueran iguales? Los otros, los que había conocido antes que a Manuel, eran así (egoístas, cobardes, hijos de puta, en fin), y por eso no se los había tomado en serio.

Pero Manuel, con esa pinta de no haber roto un plato nunca, con esa cara de bueno, con ese aspecto sudoroso y rechoncho, que si lo pensaba bien no sabía qué (coño) podía haber visto en él, había resultado ser el peor de todos. ¿Y si no había un hombre bueno sobre la faz de la tierra? A veces se imaginaba que en algún lugar del mundo había uno (un hombre bueno) haciéndose la misma pregunta. ¿Y si todas las mujeres eran unas putas? ¿Y si no había una mujer buena sobre la faz de la tierra? Y entonces, desde su cama (la misma que usó desde pequeña y que compartió con su hermana y luego con su bebé), desde su casa (una casa pequeña, con tres habitaciones, un baño y una cocina destartalada pero limpia), desde su calle (la calle M), desde su barrio (El Vedado), desde su ciudad (La Habana), desde su isla (Cuba), decía yo sí, yo soy buena, yo estoy aquí.

Joaquín ya se atreve a cogerle la mano a la que fue su mujer delante del que fue su suegro. Se la coge (la mano) y le dice estoy aquí, estoy aquí, estoy aquí, como si esas palabras fueran un salmo que pudiera hacerle algún bien. Se lo dice (estoy aquí) porque realmente está a su lado, con sus cinco sentidos. La ve (no deja de mirarla), la escucha (está alerta a cualquier cambio en el sonido de su respiración), la huele (se acerca con disimulo y le pone el perfume que solía usar —unas gotas de esencia de *musk*—), la saborea (sí, la saborea lentamente cuando la besa al llegar y al irse) y la toca (no separa la mano de su brazo excepto en caso de imperiosa necesidad). Todo con ella, todo por ella, aunque sea demasiado tarde.

Ese mes de agosto habían planeado irse a Nueva York. Bueno, no era exactamente un plan, pero sí es cierto que dos veranos antes habían hablado de cruzar el charco (eso dijeron) para ir a la ciudad de los rascacielos (vivan los tópicos) si las cosas les iban bien. A ella le iba bien, en general, seguramente porque se conformaba con poco, y tal vez ése fuera el auténtico secreto de la felicidad, aunque entonces ninguno de los dos lo supiera porque no eran felices. María José trabajaba en la misma asesoría (AG Ballester) desde que dejó los estudios en el 89, y su trabajo no tenía ni secretos ni alicientes.

Ella no era ambiciosa. Se conformaba con ganar lo (poco) que ganaba (menos de mil euros al mes) y no quería ni oír hablar de hacer trabajos extras para otras gestorías, ni tampoco por su cuenta. Entró como auxiliar por recomendación de la madre de Marga, que era clienta; su primera responsabilidad fue introducir datos de facturación en un programa informático de contabilidad, y su primer sueldo, ochenta mil pesetas. Ahora que también se encargaba de hacer trámites y que seguía el proceso desde el principio (introducir datos) hasta el final (asesorar a los clientes y presentar las declaraciones), el compromiso le parecía excesivo y estaba pensando dejarlo por algo menos arriesgado. Le daba miedo equivocarse y que otro pagase su error. Tal vez cajera, como Marga, estaría bien. Ella no quería dinero, ni retos. Sólo aspiraba a mantenerse, y a ser feliz.

Joaquín, en cambio, soñaba con pasar a la historia y le irritaba sobremanera la certeza de que como representante de vinos y licores jamás entraría en la Wikipedia. La culpa la tenían los demás, como María José y toda la cohorte de admiradoras que había tenido toda la vida. Sonaba pretencioso, pero era la verdad. Desde su vecina (María José) hasta su madre, todas las mujeres que se habían cruzado por su vida desde que nació hasta los veinte años le habían convencido de que era tan guapo, tan alto, tan gracioso, tan ocurrente, que tendría el mundo a sus pies. Pues sí. Ahora que era más fácil saltarlo que rodearlo (que estaba gordo, vamos), ahora que estaba perdiendo pelo, ahora que no le era tan sencillo ligar como antes, ahora y no entonces era cuando él necesitaba un poco de aquella gloria adolescente que en su momento había menospreciado, y el conformismo de su mujer le daba rabia y, al mismo tiempo, envidia.

Tampoco coincidían mucho. Ella salía de casa a las ocho y él no entraba a trabajar hasta las diez. Pasaba la mañana cobrando facturas y las tardes visitando clientes. Más de doscientos a la semana. Le gustaba su trabajo, era la verdad, pero le fastidiaba tener un trato tan superficial con todo el mundo, diez minutos de cháchara con cada comprador, siempre las mismas preguntas, las mismas respuestas, y a veces se cansaba de llegar a su casa tan tarde, nunca antes de las once de la noche. Ahí estaba María José, esperándole, casi siempre sin cenar y con la sonrisa puesta.

Dentro de dos veranos cruzamos el charco, y María José aplaudió entusiasmada. Ella lo tenía todo. Él nunca tenía suficiente.

Pilar nunca tenía suficiente dolor, o eso parecía. No estaba contenta si no tenía un problema, y por eso los provocaba. Cualquier sicoanalista se habría dado cuenta y se lo habría hecho saber: señora, usted trata de olvidar un dolor provocándose otro mayor. Pero como nunca fue a terapia, a pie de calle parecía simplemente que Pilar era una desequilibrada que lo mismo echaba lejía en la ropa tendida de una vecina que le caía mal que les montaba cirios a su marido o a su hija a la menor ocasión. Pero Pilar no estaba loca. Sólo era tremenda, profunda, total, absurdamente infeliz. A veces lo pensaba. ¿Y yo, por qué estoy así? Aunque habían pasado tantos años, ella insistía en distinguir el significado entre ser y estar, y no se resignaba a *ser* así. No era desequilibrada, sólo lo estaba. Creía que algún día se le pasaría y volvería a ser una persona normal, moderadamente feliz. Se daba cuenta de que Paco no era un mal hombre, y que María José, que había sido la niña de sus ojos, no la había apartado de su lado sin más ni más, sino porque ella era insoportable y vivir a su lado era un tormento.

Un día pasó por el hospital una escritora que se estaba documentando para su próxima novela porque quería ambientarla en uno como ése. El director de enfermería la acompañó por todas las plantas y le fue explicando qué tipo de paciente estaba en cada sala, en ésta los ACV (accidentes cerebro vasculares), en ésta los paliativos, etcétera. Frente a su puerta, la 126, estuvieron parados un rato y ella escuchó cómo le contaba que en casos especiales las habitaciones eran individuales pero que él prefería que los pacientes estuvieran de dos en dos, porque una mampara preservaba su intimidad cuando lo deseaban y, al mismo tiempo, estaban más acompañados, más confortados, porque, la verdad, aquí hay muchos pacientes que no reciben visitas. La escritora le preguntó cuánto tiempo solían durar los ingresos, y él le dijo que, en los casos en los que la recuperación era posible, la estancia media era de cincuenta y ocho días.

—¿Y en los casos que no?

—Hasta que fallecen, el tiempo que sea.

—Debe de ser duro.

—Mucho, pero como no suele pasar de un día para el otro, los familiares se van haciendo a la idea, no es como en un hospital de agudos.

—¿Y para ustedes no es duro?

—Al final te sale callo. Hay casos que te afectan más que otros, sobre todo cuando ves a gente joven, pero la capacidad de sufrimiento es la que es y acabas por distanciarte, es inevitable. Venga, vamos a ver la habitación de un paciente que ha fallecido esta mañana y estaba solo, para que muriera tranquilo.

Miró su reloj. Pasaban tres minutos de las diez.

—¿Cuándo ha muerto?

—Hace una hora y media.

Pilar no lo sabrá nunca, pero al llegar al cuarto la escritora se sobrecoge. Todo está vacío. No queda ningún rastro del hombre que ha muerto allí. La cama está hecha con sábanas nuevas; el armario, vacío; el baño, limpio. Cualquiera puede entrar a morirse en paz sin intuir que alguien acaba de iniciar el camino del tránsito. No quedan huellas. La escritora no sabe cómo se llamaba el muerto (José Vicente) ni que tenía setenta y ocho años, cinco hijos (Luis, Carlos, Mar, Julia y Alberto) y seis nietos (Rubé, Amanda, Daniel, Carmen, Ainhoa y Eva). No sabe que fue fontanero, hincha del Valencia C. F., devoto de Francisco Ordóñez y detractor de José Tomás porque le escamaba su temeridad, que no leyó nunca un libro porque le costaba juntar las letras, que al final de su vida se aficionó a Internet y se pasaba las tardes en un despacho que se había montado donde antes sólo estaba el cuarto de la plancha viendo las películas que se bajaba, todas de estreno, bromeaba, de Lina Morgan, de Paco Martínez Soria y de los artistas de Hollywood cuyos nombres le apuntaban los hijos. Mira a ver por qué no me sale nada. ¿Cómo te va a salir, papá?, a ver quién es ese James Estigüar. Pues escríbelo tú, hazme el favor. Eso no lo sabe, la escritora. No sabe cuánto se reían.

Ya no están las revistas que ha leído su mujer (Lourdes), ni las flores que le han mandado (los amigos de la peña del fútbol), ni las fotos clavadas en un corcho apoyado en la pared (él y Lourdes en los Picos de Europa; él y Lourdes el día de las bodas de oro; él y Lourdes dándose un beso en el convite de la comunión de Rubén, los dos con servilletas verdes en el pecho para no mancharse la ropa; su hija Julia y su nieta Eva, la pequeña, a la que nunca ha podido coger en brazos porque nació cuando él ya estaba ingresado en ese hospital), ni el peluche (*Pirimpollo*) que le ha mandado Amanda, del que no se ha separado nunca pero que ha querido darle a su abuelo para que no estuviera solito. El abuelo no está solito, cariño. Da igual, se lo regalo de todas formas. La escritora no sabe que las últimas palabras las dijo Andrés hace cinco días, antes de perder la conciencia, y que no fueron últimas, sino última. Lourdes. Lo dijo, Lourdes, y trató de sonreír en un intento mudo de agradecerle toda la vida que habían pasado juntos, de decirle que había sido feliz la mayor parte del tiempo y quién sabe si para pedirle perdón por esas pequeñas miserias que no había podido evitarle (enfados estúpidos, disgustos por el dinero, malentendidos). Lourdes no le contestó porque en ese momento estaba en el baño (llevaba varios días con descomposición de cuerpo), y cuando llegó y lo vio con los ojos cerrados creyó que estaba echando la siesta y se dijo que cuando se despertara le recordaría aquellas vacaciones que pasaron en un crucero, lo más grande y lo más aburrido que habían hecho nunca.

La escritora tiene ganas de llorar y piensa que la muerte es injusta porque no es sólo una vida lo que se lleva. Salen de allí y el director le sigue contando. Damos la comida a los familiares que se quedan, totalmente gratis. Nos gusta que estén cómodos porque sabemos que es muy duro permanecer aquí, tan lejos de todo. Le señala un espacio vacío donde antes había un microondas para que se calentaran lo que quisieran traerse de casa, pero lo robaron. La escritora hace un esfuerzo y sonríe. Piensa en los suyos (de pronto tiene ganas de abrazarlos muy fuerte) y le pide a Dios (si es que existe) que nunca tengan que ir allí.

Pilar se siente un poco como la escritora. Es consciente de que no disfrutó mientras pudo. Y ahora, que sólo le queda lamentarse, no encuentra consuelo en eso.

A veces, antes, leía el periódico, o veía la televisión, y cuando veía las tragedias auténticas que ocurrían en el mundo, se decía que ella no tenía motivo alguno para *estar* así, que tener un disgusto amoroso era tan común como tener un antecedente de cáncer en la familia, que todo el mundo tenía uno y lo superaba y seguía adelante con su vida, y que ella era una mujer fuerte que lo tenía todo a su favor, que era joven, que no era fea, que podía superarlo, ser feliz, y pensaba que cuando volviera a ver a Paco, cuando regresara de un viaje, cuando volviera a casa esa noche, sería amable, y buena, y cariñosa, y le prepararía algo que le gustase para cenar, y le besaría en la boca, y en la cama se la chuparía y harían el amor y le diría cuánto le gustaba hacerlo con él, porque la verdad era que le gustaba, y que las dos únicas veces que se había acostado con Fermín había sido un desastre y, en cambio, siempre que se acostaba con su marido tenía unos orgasmos que la dejaban sin aliento; pero cuando llegaba el momento, y le veía, se le caían las buenas intenciones a los pies. No podía. Era superior a sus fuerzas. No podía ser feliz porque Paco era bueno, y era trabajador, y era hasta guapo, y era buen marido y un padre cojonudo. Pero no era Fermín, y eso le dolía tanto, tanto, que para olvidarlo tenía que sentir algo mayor. Ahora que el dolor es inmenso, no le queda más remedio que conformarse con él porque sabe que ningún otro podría dejarlo atrás.

Septiembre

Goumba prefiere no mirar a la derecha. Sabe que es cuestión de tiempo, que dentro de poco ya no estará allí. Pero, aun así. No quiere ver al paciente que ocupa la 126 A, un hombre de cuarenta y cinco años que sufrió una hemiplejia mientras hacia *footing*. No es que no le guste su nuevo compañero de habitación. Es que echa de menos a María José. No es que se hubieran hecho amigos (sonríe, triste), pero le gustaba saber que estaba allí, callada, quieta, respirando pesada y lentamente, con los ojos cerrados, dormida, en paz. Pensaba que ella era su hermana y que él vigilaba su sueño. Así era, lo vigilaba, hasta el punto de darse cuenta antes que nadie de que había muerto.

Le debe lo que tiene. Tiene a Pilar, tiene a Paco, tiene a Cleopatra. No ha oído hablar nunca ni de la teoría del caos ni del efecto mariposa, pero su sentido común le dice que es posible que el suave aleteo de un insecto provoque un *tsunami* en el otro lado del mundo. Lo sabe bien. Si su padre no hubiera decidido que se marchase de Podor en busca de una vida más digna, si su amigo no le hubiera convencido de que viajara a Valencia, si aquel día no hubiera llovido, si aquel niño no hubiera derramado la botella de aceite en el charco, no por maldad, sólo para ver qué pasaba... Si María José no se hubiera separado de Joaquín, si hubiese decidido ir al trabajo por el centro en vez de por la circunvalación, si hubiera salido cinco minutos antes o cinco minutos después, si Agustí Bayarri hubiese cogido un taxi en lugar de su coche... Si todo aquello no hubiera sucedido.

¿Por qué se dio cuenta de que había muerto? No lo sabe. La miraba fijamente y no cambió nada pero, al mismo tiempo, cambió todo. Quizá su expresión se relajó, o hubo un leve, imperceptible, movimiento en los ojos, o la respiración, que de pronto fue un poco más intensa. No sabe explicarlo. Pero dijo Pilar, Pilar, mira a tu hija que se está muriendo, y cuando llegó la enfermera con el electro portátil confirmó con la mirada lo que ellos ya temían. Al poco entró el doctor y certificó la muerte, y dijo no ha sufrido, ha sido como si se apagara una vela.

En efecto, así fue. La vela de la vida de María José se apagó despacio, poco a poco, demasiado rápido, demasiado pronto. Llevaban días esperando el desenlace fatal. Primero fueron unas décimas de fiebre que no remitían con el antibiótico. Luego, la respiración se le volvió lenta, pesada, fatigosa. Las enfermeras los tranquilizaban. No está sufriendo, está tranquila, como si durmiera. Era cierto. Nada en su exterior hacía pensar en lo que estaba sucediéndole dentro: los órganos iban cada vez más despacio, las úlceras habían servido de puerta de entrada para virus y bacterias. ¿Qué la mató? ¿El golpe en la cabeza? ¿Una insuficiencia cardiorrespiratoria?

¿La vida que no fue lo que ella esperaba? Quién sabe qué. Quién sabe cuánto tiempo llevaba muriéndose poco a poco, por partes, cuando se murió del todo.

Aparentemente, nada ha cambiado desde ese día. Pilar, Paco, Cleopatra siguen haciendo lo mismo que antes, con la excepción del día del funeral de María José. La incineraron, y tal como ella le había pedido a Marga cuando eran adolescentes, colocaron las cenizas a los pies de un árbol (de un limonero, en concreto), porque María José quería hacer algo de provecho cuando muriera y, además, le daba mucho asco la idea de tirar los restos a los demás, aunque no fuera más que polvo. Le decía a Marga cuánta razón tenía tu padre, ¿te imaginas que vas por la playa tan tranquila y se te mete por la nariz el fémur de un señor sólo porque a su familia le parezca romántico esparcir sus cenizas desde un barco? Y Marga, que se acordó en el último momento de ese deseo, convenció a Pilar para que María José siguiera viviendo de alguna manera, en los limones del huerto de su tío Federico. Tampoco le costó mucho, convencerla.

Pilar ya no es la misma Pilar que era antes. Es otra. Más calmada, más triste. Piensa con frecuencia en la muerte, pero ahora lo hace de una manera distinta. Le gusta creer que no es la eternidad vacía lo que nos espera, sino que algún día, en algún lugar, de alguna manera, volverá a estar con ella.

De hecho, siente que lo está. Ha olvidado que la voz ya estaba dentro de su cabeza antes, y se hace la ilusión de que es su hija quien se dirige a ella y le pide que ceda su sitio en el autobús a una anciana que acaba de subir, o que le devuelva la sonrisa a Cleopatra, o que finja que le importa cuándo va a venir su hija cuando se lo pregunta. Siente a María José, a su lado. A veces la voz le dice que no es ella, pero Pilar no quiere ni oír hablar de ese tema y la manda callar. Es María José. No tiene dudas. La siente como sienten la pierna aquellos que acaban de perderla en un accidente y aseguran que les pica o que les duele aun después de que se la hayan amputado. La siente ahora como no la ha sentido nunca. O quizá sí. Cuando era pequeña. Cuando era un bebé. Eso seguro. La deja hablar y a veces responde. Cariño mío.

No es la misma Pilar.

Sigue teniendo los mismos arranques de mala hostia de toda la vida, sigue siendo egoísta, malpensada y gruñona, pero ahora es un poco más humana. Llora en público y se deja tocar, y a veces parece incluso sincera y buena persona. ¿Por qué no la enterramos bajo un limonero?, y Pilar dijo que sí. Fueron las dos, al huerto. ¿Por qué no nos tomamos un café?, y Pilar dijo que sí. ¿Por qué no hablamos de María José?, y Pilar dijo que sí, y luego dijo ahora sí puedo porque antes sólo conocía a mi hija, y ahora ya sé quien era esa María José de la que tú quieres hablar.

Cleopatra acompaña a Goumba por las noches. Él le enseña francés y ella castellano. Le sigue pagando Pilar. Lo han aceptado como algo normal. Él se siente como su hijo, no le ha costado trabajo acostumbrarse porque no tiene a nadie más y porque, en verdad, ella le trata con el mismo cariño con el que le trató su auténtica madre. Cleopatra está menos cansada porque ya no limpia casas por las mañanas. Lo ha dejado porque necesita ese tiempo para buscar un piso para ella y para Ramona María. Goumba y ella hablan de muchas cosas, hacen planes. Saben que algunos los van a cumplir (ver tres películas seguidas, comer un bocadillo de jamón a la catalana) y otros no (ir a la playa, ligarse a una rubia), pero los planean igualmente porque divierte hacerlo. Un día, Cleopatra le pregunta dónde encuentra la paciencia para soportar su situación, y hablan de la religión, de Alá, del Paraíso, y Goumba le recuerda aquel día que pensó que quizá el sentido de todo ese sufrimiento, que la recompensa a todo ese sufrimiento, no estaba en el Paraíso, sino en ese hospital del que sólo conocía la planta baja, un ascensor, el pasillo, esa habitación, un sitio triste lleno de gente triste que se ayudaba entre sí, y Cleopatra se echó a llorar. No llores, le dijo él, y ella quiso seguir llorando porque era de felicidad.

También Paco es distinto. Conversa más, quizá porque Goumba sabe algo más de español o porque ya no dedica a llorar los 86.400 segundos del día y tiene más tiempo para hablar. Un día, Goumba le cuenta que cuando él era pequeño su madre le explicaba que todos nacemos con un número determinado de palabras que decir y de lágrimas que llorar, y que hemos de ser cuidadosos, ahorrativos, para no gastar demasiado pronto ni las unas ni las otras. Paco le dijo a mí palabras me quedan unas cuantas, pero con las lágrimas debo de estar en números rojos. Ahora debe de estar poniéndose al día, porque cada vez habla más y llora menos. Si no fuera porque acaba de incinerar a su hija, se diría que está incluso contento.

No es verdad. No está contento. Pero de alguna manera es consciente de que la diferencia entre el antes y el ahora, entre la vida y la muerte, no es más que una cuestión clínica, o de terminología médica. ¿Cuándo murió su hija? ¿Ese día de abril o cuando lo certificó el doctor? No lo sabe. No sabe mucho más de lo que sabía, pero ahora, al menos, está seguro de una cosa: ya no quiere ser infeliz porque siente que María José querría que todos hubieran aprendido algo de lo que les ha pasado. Recuerda a menudo aquella conversación, la del hijo de la profesora, pero intuye que su aprendizaje no debe dirigirse por ese camino. La espiritualidad está bien, no lo discute. Pero él ha vivido un drama humano y quizá recurrir a la religión sería el camino más fácil. No piensa tomarlo. La vida ha explotado ante sus ojos en forma de muerte, cierto, pero María José se ha marchado dándoles una oportunidad, y él sabe bien cuál es la suya. La de ilusionarse, la de perseguir una ilusión. Y no se refiere a seguir escudriñando entre las puertas por si vuelve a verle las tetas a Cleopatra, ni a ir más veces al Ipanema, ni a buscarse otra mujer ahora que se va a separar. Qué va. Se refiere a aprovechar que está vivo. Todavía.

Abril

La mujer que va a morir y no lo sabe, o quizá sí, se despierta por primera vez a las siete en punto. A esa hora suena el despertador, pero ella lo apaga y se da la vuelta para seguir durmiendo un poco más, cinco minutos, diez, quince. Retrasa el momento inevitable cada vez que suena la alarma del móvil. Apagar o repetir. Ella decide repetir. Repetir. Repetir. A las siete y cuarto sale disparada de la cama, lanza un exabrupto al vacío (me cago en la puta) y medio dormida va al cuarto de baño, abre el grifo de la ducha, se sienta en el váter mientras se cepilla los dientes, se arrepiente de ser tan holgazana y se alegra de haber tenido la precaución de haber dejado preparada la ropa antes de irse a dormir, después de ver «CSI». Le encanta Grissom, ¿qué le va a hacer?, se queda a ver los dos capítulos de estreno y a veces, como anoche, el repetido, por eso el martes no hay quien la saque de la cama. Claro, que a ella eso de levantarse de la cama nunca le ha ido demasiado. Cuando era pequeña fantaseaba con la idea de vivir sin tener que salir de la habitación, sin que la molestaran ni para comer ni para mear. Qué delicia. Toda la vida dormida. Últimamente ha recuperado ese pensamiento, porque la vida en general le parece un sin sentido.

Marga le dice que está al borde de una depresión, y le ha dado el número de una siquiatra que se llama Carmina Palau que trató a una compañera del trabajo que tenía ansiedad. Hizo terapia una temporada y finalmente le recetó un ansiolítico que fue lo que la salvó, porque a día de hoy está como una rosa. Se lo cuenta siempre, pero María José se niega a ir al médico. Cree que puede resolver sola sus conflictos, que básicamente se reducen a acostumbrarse a que ha perdido a su marido y, lo que es peor, la capacidad de ilusionarse. Eso es lo que más miedo le da. ¿Y si no la recupera? ¿Y si nunca más vuelve a sentir lo que ha pasado toda la vida sintiendo, esa sensación de que lo mejor estaba por llegar, de que si aguantaba un poco, un poco más, todo valdría la pena? Era como un salvavidas. Daba igual que el presente fuera malo porque siempre quedaba el consuelo de que el futuro sería mejor. Eso es lo bueno de las ilusiones. Pero ahora ya sabe que la realidad es la enemiga natural de los sueños.

La decepción de no poder seguir queriendo a Joaquín es lo peor que le ha pasado, porque querer a Joaquín es lo único que ha hecho en la vida. Quererle, esperarle. Querer, esperar. Menuda putada.

No quiere ir a ver a esa Carmina Palau, aunque no pone en duda que a la compañera de Marga le fuera genial. Piensa que, si se concentra en el trabajo, que si se ilusiona con su nueva casa, que si trata de conocer otros amigos, podrá salir de ese pozo de tristeza. Se ha apuntado a un gimnasio, a un grupo que organiza rutas de senderismo y a un club de lectura que una vez al mes se reúne en El Corte Inglés para analizar un libro, pero no ha ido nunca a ninguna de las tres cosas. Mientras se ducha recuerda que esa misma tarde hay reunión y que van a hablar de *El abrecartas,* una novela de Molina Foix que le ha encantado. Dice en voz alta hoy voy a ir, porque además ha visto en la agenda cultural que va el autor. Y dice también en voz alta hoy empieza todo. Y se pone a cantar que hoy puede ser un gran día, y se ríe mientras se aclara el pelo. No es nada nuevo. Todas las mañanas tiene el firme propósito de comenzar de nuevo, de ser feliz, pero hacia el mediodía el mundo ya se le ha atragantado, y por la tarde, cuando se acerca la hora de volver a casa, le entra una especie de miedo de vivir. No se lo ha dicho a nadie, pero a veces, cuando va conduciendo, piensa que no le importaría que un coche se estampase contra el suyo y se acabase todo de una vez.

Al salir de la ducha, *Jim* le lame las piernas mojadas y ella lo aparta para ponerse la crema hidratante. Se pesa. Ha adelgazado kilo y medio en una semana. Como es de buena mañana y aún no le ha dado tiempo a entrar en el desánimo, lo interpreta como una buena señal, como una señal de que todo va a mejorar. Mira a su perro y *Jim* mueve el rabo y María José le dice ya estoy cansada de estar triste, coño, y *Jim* da un ladrido que ella interpreta como otra señal (estoy de acuerdo contigo) pero que en realidad quiere decir otra cosa (menos rollo y sácame a mear de una vez, que me va a explotar la vejiga).

Con el albornoz va a la cocina, se calienta en el microondas el café que sobró de ayer, piensa que lo peor de vivir sola es la cantidad de cosas que se desperdician, se lo bebe de un trago y deja la taza en el fregadero, junto a los cubiertos, el plato y el vaso de la cena de la noche anterior. Se acuerda de su madre, de su irritante manía de recogerlo todo inmediatamente, y sonríe porque piensa que si viera el estado de su pila le daría un patatús.

Echa de menos tener a alguien en casa por las mañanas, porque ella, una vez pasado el primer instante de desconcierto, se despierta muy habladora. Cuando vivía con sus padres hablaba con ellos. Bueno, hablaba con su padre y discutía con su madre. Con Joaquín, no, porque él se levantaba más tarde que ella, pero al menos sabía que había alguien más en la casa. Ahora está ella sola. Y *Jim*. Habla con el perro y, a veces, con el presentador del telediario matinal mientras se viste. La soledad le da miedo, pero no se arrepiente. Qué va. Lo contrario, seguir con Joaquín, sin quererle, habría significado ser igual que su madre. Igual. Y eso sí que no lo quiere por nada del mundo.

Separarse de Joaquín fue la mejor decisión, aunque en el último momento le entraron dudas porque tuvo la sensación de que él la amaba y le cruzó un pensamiento por la cabeza que la estuvo mortificando semanas enteras. ¿Y si aún estuvieran a tiempo de reconducirlo? ¿Y si ella pudiese volver a quererle? ¿Y si no sabía realmente lo que era el amor? ¿Y si había estado equivocada?

Se hacía muchas preguntas, sin saber que Joaquín no tardaría en hacerse justamente las mismas. ¿Cuál era la diferencia entre amor y cariño? ¿Se puede amar a todo el mundo? ¿Podría existir una escala de medir el amor? Si existiera, la escala, ella habría estado, sin duda, en el punto más alto. Le había querido mucho, es cierto, pero ¿le había querido bien?

Las siete y media. Se viste. Se maquilla. Sale a pasear a *Jim*, por fin, con una bolsa de plástico para recoger los excrementos. El perro la mira mientras levanta la pata en un árbol y ella interpreta su mirada (te quiero, María José) de mala manera, porque en realidad el perro piensa ya era hora, casi reviento. Espera un cuarto de hora y vuelve a subir en el ascensor. Deja a *Jim* en la galería, coge el bolso. El salón está desordenado. Encima del sofá queda una manta verde arrugada, las zapatillas están aún en la alfombra porque fue descalza a la cama y en el suelo hay una patata frita que se le cayó del plato y que *Jim* tampoco ha visto porque, si no, se la hubiera comido. Se acuerda otra vez de su madre. Menos mal que no lo va a ver. No soportaría tener (otra) bronca con ella. En el rellano, a punto de coger el ascensor, se lo piensa mejor y vuelve a entrar en casa porque a ella tampoco le gusta dejar la casa como una pocilga, y se entretiene metiendo las cosas en el lavavajillas, ordenando el salón, retocándose en el espejo del recibidor. Sonríe. Se da cuenta de que se parece (un poco) a su madre, aunque le moleste.

Sube al coche. Lo pone en marcha. Enciende la radio y sintoniza el programa de Pablo Motos porque le gusta ir riendo al trabajo. Gira a la derecha, luego a la izquierda. Aprovecha los semáforos en rojo para terminar de maquillarse porque se ha dado cuenta de que le falta el rímel. Hace sol. Se pone las gafas.

No sabe que en breve va a cruzarse con Agustí Bayarri, soltero, abogado, cuarenta y dos años, y circula tranquila por la autovía. Piensa que es posible que llame a Carmina Palau. Piensa que si ese domingo la ruta no es demasiado larga irá con los de la asociación de senderismo. Piensa que tiene que ir al gimnasio. Piensa que se ha dejado encendida la calefacción. Piensa que al salir del trabajo irá corriendo a pasear al perro y luego se acercará a escuchar a Molina Foix. Piensa que se ha quedado sin papel higiénico, y que tampoco le queda leche ni pasta de dientes. Piensa que tiene que repasarse el tinte, cortarse las puntas y todavía.

La primera vez
no te conocí.
La segunda, sí.

Dime
si el aire te lo dice.
Mañanita fría
yo me puse triste,
y luego me entraron
ganas de reírme.
No te conocía.
Sí me conociste.
No me conociste.
Ahora entre los dos
se alarga impasible,
un mes, como un
biombo de días grises.

La primera vez
no te conocí.
La segunda, sí.

FEDERICO GARCÍA LORCA,
Amor (con alas y flechas)

AGRADECIMIENTOS

—

No podría haber escrito esta novela sin el apoyo físico, moral y sentimental de muchas personas. Por eso quiero darles las gracias. Por haberme prestado sus nombres, sus historias, sus profesiones, sus palabras de aliento, su hombro para llorar, descansar y/o dejarme caer como un fardo. Por haber estado ahí cuando los he necesitado, y cuando no. Gracias.

A Yuli y Amat, por seguir ahí, en lo bueno y en lo malo.

A Alicia Piquer, Isabel Costa, Mari Carmen Monzó, Luis Andrés y Carmina Palau, por ser mis amigos y por ser los primeros críticos de esta novela.

A Fernando González, por sus correos inspiradores.

A Ana Portaceli, por recogerme y recordarme de lo que era capaz.

A Amparo Monzó y a Carlos Ibáñez, por abrirme las puertas del Doctor Moliner.

A Isabel Jumillas, por cuidar de mi hija. Y de mí.

A Daniel y Javier Sánchez Díaz-Canel, por prestarme su apellido para mi hospital.

A Johann Sebastian Bach y a Arvo Pärt, por haber compuesto el *Concerto in F minor for harpsichord* y *Spiegel im Spiegel.*

Y a Mohamed y a Goumba. Por existir.

Impreso en
Rotapapel, S. L.
Móstoles (Madrid)